萧乾 主编

新编文史笔记丛书

第四辑

41

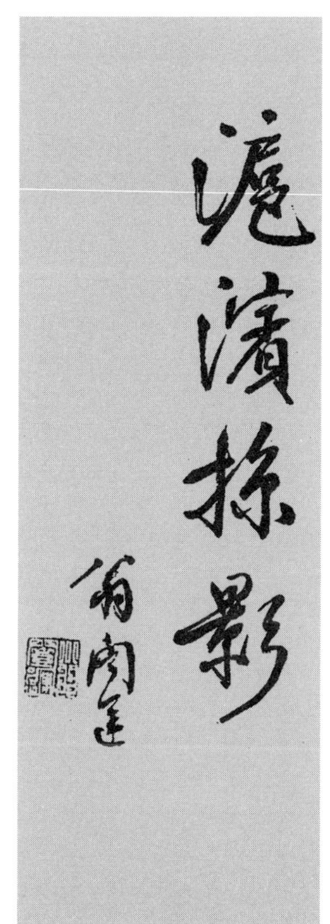

中華書局

上海市文史研究馆 编
华道一 主编

目录

革命佚史

解放前夕

艺文掇拾

文教史迹

书刊旧闻

画坛风流

银幕史话

文物鉴赏

寻古揽胜

人物述林

官场百态

耆年忆旧

新编文史笔记丛书

序

萧 乾

读书界向来对野史有所偏爱。野史大多是信手拈来的历史片断,且往往出自亲历者之手。文直事核,不虚美,不隐恶,而文笔潇洒自如,意味隽永,自然朴实,篇幅不长;可以摊开来仔细咀嚼,也可供茶余酒后、行旅倥偬中,随手浏览。

鲁迅在《华盖集》中,曾几次对野史表示过好感。在《忽然想到》一文中写道:“历史上都写着中国的灵魂,指示着将来的命运,只因为涂饰太厚,废话太多,所以很不容易察出底细来。正如通过密叶投射在莓苔上面的月光,只看见点点碎影。但如看野史和杂记，可更容易了然了，因为他们究竟不必太摆史官的架子。”又在同书《这个与那个》一文中说：“野史和杂说自然也免不了有讹传，挟恩怨，但看往事却可以较分明，因为它究竟不像正史那样地装腔作势。”

全国文史研究馆所编的《新编文史笔记》丛书，内容也属野史杂说的范畴。我们希望这些以亲闻、亲见、亲历为主的轶事掌故、琐闻杂记，写人、事而摒除误会曲解，述历史而符合真实面目。

作为一种短隽有味，文字清奇而又雅俗共赏的文学体裁，笔记在中国具有悠久的传统。它始自魏晋，盛行于宋代。南朝刘义庆的《世说新语》，北宋沈括的《梦溪笔谈》，南宋陆游的《老学庵笔记》，明朝张岱的《陶庵梦忆》，清朝纪昀的《阅微草堂笔记》以及20世纪30年代初丰子恺的《缘缘堂随笔》，都是文学史上的奇葩。然而，近年来笔记乏人问津。因此，我们出这一套书，也包含着挽回颓势之意。

全国三十二所文史研究馆拥有雄厚的稿源，两千多位馆员和各馆联系的社会人士，都是丛书的撰稿人。他们都是文史界的耆宿，见多识广，阅历丰富：有的反对过帝制，有的在“五四”运动中扛过大旗，他们目睹过军阀的横行霸道，也经历过艰苦卓绝的八年抗战。这些历尽沧桑的饱学之士，他们的所见所闻，都是弥足珍贵的史料。

本丛书分辑出版，分别由各地文史研究馆编辑，内容亦以本乡本土为主。因此，各册势必具有浓厚的地方色彩。

本着笔记固有的传统，所收各文题材不嫌庞杂。举凡与文史有关的政治、经济、军事、文化、社会等方面，或记闻见杂事，或叙往昔交游，或忆社会百态，均在搜罗之列。时间跨度则自清末以迄1949年为止。这正是中华民族从闭关自守到走向世界，从落后羸弱到奋发图强，是天翻地覆、风起云涌的大半个世纪。其间，发生过多少可歌可泣的事迹，涌现过多少杰出的人物。以这一时间跨度为背景题材写出的笔记作品，必然是内容最为丰厚的。

在选稿标准上，我们坚持史料一定要真，内容要新；既要防止以讹传讹，也力避炒冷饭。在写法上务求短小精悍、生动活泼。每篇以千字为度，希望借此在文风方面，提倡一下简约。在版式上，则想做到既利于阅读，又便于携带。

恳切希望文史界方家及广大读者，不吝赐正。

毛泽民利用帮会掩护革命工作

黄永言

约在1933年,毛泽民在上海加入青帮“大字辈”张仁奎所办的“仁社”。张仁奎的嫡系门徒韦作民对毛泽民相当尊重,嘱咐他的儿子韦绰称毛为“毛伯伯”。据韦绰说,他当时只知道毛泽民是张仁奎的门生,却不知道他是毛泽东的兄弟。毛泽民以“仁社”关系为掩护,在上海成都路开了一家印刷厂,以印刷某些地下出版社出版的革命宣传刊物为主要任务。这些地下出版社常因国民党当局的迫害,或被封、或停业、或搬迁,所以印刷厂常要“吃倒账”。韦绰有一次对毛说："毛伯伯，像你这样办印刷厂，恐怕不久要把老本都蚀光了。"毛只能皱着眉头说："大概是我运道不好，真没有办法！"

冯乃超筑"坟"掩藏收发报机

翁泽永

1938年台儿庄大捷，郭沫若领导的政治部第三厅在武汉举办了一次轰轰烈烈的宣传周，并发起献金运动。武汉人民热烈响应，积累了一大笔钱。后郭老派阳翰笙、程步高以此款到香港买了十几辆卡车和大量药品及医疗器材运回重庆，然后分送到各战区去。郭老在《洪波曲》里说，这批物资分为十一份，装了卡车分送各个战区。但据当时任对敌宣传科长、共产党特委书记的冯乃超告我：当年还另装了两卡车医疗器材和药品专门运送给北方的八路军和江南新四军，在药品中还各夹带了无线电收发报机。这一点，郭老在《洪波曲》中未写，可能有其特殊原因。

据冯乃超说，当年在香港共买了三台收发报机。其中有一台本拟运延安，因一时未能运出，就存在重庆郊区三厅办公处。但这样的"违禁品"是不能公开保存的，万一败露或被搜查到，将会以"汉奸"罪军法论处。所以冯只能在赖家桥附近做了一座“坟”，把收发报机“葬”在里面。1945 年 3 月底文化工作委员会撤销，冯始将此事告我，并与我商量有无特殊渠道把收发报机运送到延安。经我考虑，实在没有渠道可以转运，只好向冯明说。隔些日子，冯才说：此事已办，不要我再操心了。

五四运动时上海带钩桥血案

孙金镇

上海延安东路山东路口附近一带，旧称带钩桥。1919 年，上海人民曾在此和帝国主义者进行过一场英勇悲壮的斗争。

那年五四运动的风暴从北京开始，继而席卷全国。6 月 5 日上海全市罢工、罢课、罢市，运动进入高潮，直到北京反动政府被迫罢免三个卖国贼，上海人民才在 6 月 12 日开市。

12 日那天，上海学生、工人、店员纷纷上街游行，庆祝斗争胜利。其中有一支二三百青年工人店员组成的队伍，从法租界出发，游行一周，已到晚上 9 点多钟，但大家情绪仍高，决定再到公共租界南京路一带热闹地区去游行。他们沿爱多亚路(今延安东路)向东前进，正要转向福建路，却被两个华捕挡住，不准进入公共租界。队伍只好继续沿爱多亚路前进，转到山东路近金

陵路口时，忽有一个西探狂吹警笛阻挠，两旁群众就用饮食摊上的小碗向西探掷去。此时，一个“三道头”马差西捕洛克带四名印度骑巡，荷枪实弹赶到，对领队人声称：“奉上司命令，今晚不准游行，你们赶快回去。”游行群众一致反对说：“庆祝游行，怎么可以阻止！”洛克即令印度骑巡向队伍猛冲。连冲四次没有冲散。群众忍无可忍，纷纷用砖头、石块及随手捡到的什物向他们掷去，还有人从阳台上把板凳、椅子甚至煤球炉掷下来，洛克脸上被掷得青一块紫一块，狼狈不堪。还有一个印度骑巡被打得从马上翻下来，向广东路后退。

此时公共租界总捕头伏恩赶到，从华捕身上拔取一支枪，向四十码外的群众连放三枪，洛克也在马背上连放七枪。许多人受伤倒地，有一个弹穿胸部当场牺牲。

牺牲者名邹桂生，皮鞋工匠。受伤的大都是店员和工人。他们受帝国主义压迫最深，斗争也最坚决，写下了上海人民反帝史中的光辉一页。

金殿选为爱国学生主持正义

同维屏

1919 年“五四运动”，北京政府当场逮捕学生三十多人，送交京师地方审判厅处理。审判厅组织合议庭，由推事王克忠、张奉先、金殿选三人负责审理其事。

金殿选的同学、上海名律师李时蕊在上海办联合通讯社，乃邀同教育界人士多名，共同致函金殿选，希望其主持正义，勿为卖国政府所利用。函到北京时，正值合议庭内部讨论，决定对学生不拟处刑，宣判无罪释放。金殿选就此函复李时蕊。不意李一时考虑未周，竟把金函作通讯稿，在上海各报先予刊登。

当时司法总长朱深屡次召见金殿选，查讯审理及合议结果，金均拒绝明言。但宣判那天，朱却看到了上海报纸上登载的金殿选复李时蕊的信函，勃然大怒。认为金有失法官职守，马上下令免去其推事职务，把王克忠、张奉先二人也另调他职，并饬同级检查厅检查员提起上诉。被捕学生虽获宣判无罪，但并未同日释放。

金殿选等身处北京反动政府包围，竟能主持正义，宣判学生无罪，致被免职、调职。他们同情爱国的行为，深受当时舆论和北京广大师生的赞扬。

陈惕庐等慷慨就义

樊崧甫

1949年5月12日，我被囚在国民党上海市警察局黄浦分局。上午，有同囚刚进牢的人说，报载枪毙了五个人，都是“孙文主义大同盟”的。正议论间，忽警备车“飞行堡垒”隆隆响，一个姓丁的特务拿着提犯人的提单进来，后面跟着四名武装警察，到第一号牢房叫陈惕庐、张达生收拾好东西出来。陈、张二人到我牢前，和牢犯一一告别。继丁特又从他牢提出方志宏、朱大同、王文宗，一起共五人。陈惕庐举起右手高呼：“三民主义万岁！”“孙总理万岁！”又大呼：“看你们这批狗特务还能活几天？我先到地下在孙先生旁边等你们，审判你们这批恶狗！”同牢人闻声都倒在地上，掩面而泣。

15日夜，又有消息说，新入狱的人在外面见报，又要杀人了。果然次日饭后，“飞行堡垒”又来，在我们牢笼内提刘钧成、黄培中，在他笼提陈玉山、张伟、杨剑明。据说他们是和刘慕宇策反案有关。刘钧成和牢内怀孕的妻子作别，向我们说再会。这一次提人，毛森鉴于上次陈惕庐等慷慨呼口号，所以故意说是“提审”，但他们都从此没有回牢。牢内刘妻在丈夫去后一直哭到深夜。刘妻怀有身孕，但特务在审问她时，大施酷刑，灌水、坐老虎凳，还“上飞机”高吊悬空，猛地落地。有一次特务对她说：“你已判死刑，现在就要执行，你要不要打麻醉针？”她说：“不要”。特务又押她出去，说是去刑场枪毙，转了个把钟头，却仍押回原处。这批特务对一个怀孕妇女如此残酷，实在令人发指！

樊崧甫入狱自述

樊崧甫

1949年5月10日上午11时，我家突然来了匪特四名，各佩手枪。领头的问：“哪一个是樊崧甫先生？”我知道不妙，就回答他说：“我是樊某。”他说：“我是毛森局长的副官，局长叫我请你去谈话，许多人在等着，即刻要去。”我说：“好，就去。”我到内房穿好衣服，妻子问我：“会不会扣你？”我说：“管它呢。”那时适我大哥震初来看我，问我：“回不回来吃饭？”我说：“不可知。”到家门口，又有两人乘一辆吉普车在等着，到弄堂口又有一辆吉普车等着。他们让我登车，前呼后拥，疾驰而去。

车到上海市警察总局，乘电梯登二楼入室，我一看标记为“刑五科”，自知不免。室内见到一人像是科长的，我递给名片一张，此人踌躇一会

说:“我打电话给局长。”忽而又说:“我自己去报告吧。”停了片时,另来了三个特务对我说:“局长请你去黄浦分局。”这样他们又带我上吉普车到黄浦分局。到了那里,我抬头看见“拘留所”的牌子,心里想:为国民革命苦斗四十年,不料今天如此报酬。先到看守主任室,见到一个白种混血的中国人,我问他姓名,他说叫“李雅龙”。我给他一张名片,他说:“樊先生久仰。”送我去的匪特对李附耳说了几句话,李出去一晌,回来对我说:“请你到里面去。”我随他上了二层楼,又下几步踏级,经过一重门,到了看守门房,里面又是一座铁栅门。李开了这门上用粗铁链环着的铁锁,又开了暗锁,推我入牢。我进了这扇牢门,看见东南两边若干铁窗牢笼,一间间挤满了“囚犯”。这时李命我举起手来,解开衣裤,把袋内物件一一检出,鞋带、裤带,连袜带都搜去。我问李雅龙:“我到底犯了什么罪?”李说:“不知道,我们是奉总司令的命令。委屈你了,对不起。”我说:“我真不明白。”李不再理我,把牢门“乒”地一声关上走了。就这样开始了我的牢狱生活。

编者按:樊崧甫,原国民党高级将领。据樊自述,1949年上海解放前夕,蒋介石拟任樊为“京沪杭警备副总司令”,遭樊拒绝,并参加了“中国国民党革命委员会”组织,因此被特务毛森逮捕入狱。

《监狱生活歌》

傅国虎

1936年3月31日,北平学联为追悼一个被警察局虐待致死的中学生郭清,在北大二院举行追悼会,会后抬棺游行。反动军警在南池子一带冲散游行队伍,大肆追捕学生。当天各校被捕五十余人,其中有燕京大学的黄华(王汝梅),清华大学的王瑶、赵德尊等,我亦在其内。不久清华教授张申府和夫人刘清扬、北平大学教授刘侃元也相继入狱。狱中师生互相鼓舞,秘密开展世界语、拉丁化新文字和"大众哲学"的学习。黄华同志利用旧报纸边角,编刊《牢狱之花》在各囚室传阅。在"放茅"时则进行唱歌活动,甚至低声教唱《国际歌》。

当时第九号牢房集体创作《监狱生活歌》,由我配了曲谱。歌词共分五节,每节末尾都插入"一、二、三、四"口号,斗志昂扬。这五节歌词是:

食,坐监牢,实在难受,一天两顿窝窝头,咸菜汤没有一滴油。

衣,坐监牢,实在难受,一身衣裳脏又臭,要想换什么也没有。

住,坐监牢,实在难受,睡在席上没枕头,大伙儿翻身不自由。

行,坐监牢,实在难受,放茅两次排队走,脚上镣磨坏了骨头。

罚,坐监牢,实在难受,一天几遍骂不休,动不动要打还要抽。

这批师生后来由地下党通过宋庆龄、冯玉祥等设法营救,训斥一通,释放返校。

圣约翰学生声援五卅惨案

李鄒寿

1925年5月30日,上海发生震惊中外的五卅惨案,上海人民纷纷罢工、罢课、罢市,声势浩大。圣约翰大学原是美国在沪办的教会学校,平时中国学生与外国校方朝夕相处,学生并未将校方看作帝国主义,校方理应支持上海人民的抗议斗争。然而事实并非如此。

6月3日,大学及附中的中国学生在校园中举行纪念五卅惨案受难烈士追悼大会,师生参加者共约五六百人。校园很大,图书馆前有一大片草地,楼前有两根旗杆,每根约有一人围抱粗、四层楼高,是平时用来集会悬挂国旗,一根挂中国国旗,一根挂美国国旗。当时追悼大会要用国旗降半旗纪念,学生向校方借中国国旗,管理员竟然不肯。学生一再要求,仍遭拒绝,无奈只能从别处借了一面小旗。旗小不能使用原绳索升降，只能用图钉钉在旗杆上。校方对此竟然公开阻挠，不许学生挂旗，动手拉旗，以至扯破中国国旗。这一侮辱中国国旗的行为，引起在场中国学生的极大愤慨，发展到集体离校。当时我爱人吴保源也在校，是他亲眼目睹的情况。

事件发生后，学生自发地组织起“离校善后委员会”，委员会由大学部和附中各四个年级，每个年级推举十名代表，共八十名代表组成。“离校善后委员会”借李公祠(李鸿章祠堂，现复旦中学所在地)为临时会址，有些外地学生离校后无处居住的，也暂住在内。该会行动迅速，6月3日那天几乎全体学生卷铺盖离开学校，并立即筹备创建光华大学。光华大学的创校日就在1925年6月3日。

郑氏一门忠义

薛畊莘

八年抗日期间，我认识一位郑樾先生，日本帝国大学法学士，曾任国民党元老于右任先生的私人秘书，上海市第一特区法院检察长。郑住旧法租界万宜坊七十七号，妻日本人，育二女二子。国军西撤时，他留在上海，利用其特殊身份，为抗日事业作出了光辉贡献。

当汪精卫伪国民政府“还都”南京时，日本

军方因他是留日学生，多次派林少佐邀他出任汪伪司法部长，赖其深明大义的日妻樱子借口丈夫患有癌症，婉词求得谅解而保持民族骨气。1945年春，郑氏病逝于上海家中。郑氏日籍夫人于抗日胜利后，由于右任先生资助准其归返日本。

“八一三”抗战起，郑氏长子(名不详)为国军空军上尉，在江阴上空与日机空战时为国捐躯。次子郑南阳为医师，解放后在华山医院工作，1982年奉母召赴日本。长女患心脏病于1942年病逝于虹口福民医院。小女郑苹如因谋刺大汉奸丁默邨未遂，终被杀害，为国牺牲。此事当时曾轰动上海，名载青史。

郑氏是中央政治大学吴国峰先生的好友，我是通过吴才认识郑的。郑氏一门忠义，一子一女为抗日牺牲，其爱国的不屈精神，在当时留日知识分子中实属难能可贵。

潘公展谈劝工大楼事件

姜豪

1947年2月9日，上海南京路发生了劝工大楼事件,又称“二九惨案”。这天,“爱用国货抵制美货委员会”成立大会在劝工大楼召开,到会者以百货业职工为主，并邀请爱国民主人士郭沫若、马叙伦、马寅初、邓初民等到会讲话。当时国民党特务混入会场起哄捣乱，打死了永安公司职工梁仁达,打伤十余人。惨案发生后,引起全市各界人士的义愤，形成了爱国民主运动的高潮。

惨案发生后两三天,在一次宴会上,我与潘

公展同席。他大谈劝工大楼事件，最后讲“郭沫若向我提抗议，质问我国民党为什么唆使流氓捣乱会场。我听了说什么流氓不流氓，这是革命斗争嘛。他也就无话可说了。”

潘公展原是国民党中央常委，在上海时他担任申报馆董事长兼社长、上海文化运动委员会主任委员和上海市参议会议长等职，是国民党在上海的主要代言人。他如此说，无异承认了这件惨案是国民党一手制造的。

毛森的“鸿门宴”

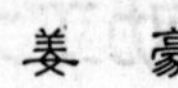

姜　豪

上海解放前夕，军统人员毛森出任上海市警察局长。1949 年 5 月 23 日南京解放后，上海局势急转直下，警察局疯狂逮捕革命学生、工人以及爱国民主人士。就在这恐怖的日子里，我和张中原接到了毛森的请柬，奇怪的是宴会不设在菜馆里，而在贵州路老闸区警察分局。

接到请柬后，明知毛森邀宴不怀好意，还是决定如期赴约。因为假使不去，反会被认为心虚胆怯，更会出事。

宴会是在晚上举行的，地点在分局的空场上，一共十多桌。参加人员是分局的全体警员，来宾只有我和张中原以及永安公司总经理郭琳爽三人,都是在老闸区选举产生的市参议员。宴会中场,毛森起立致词,他讲了一套戡乱反共的开场白后,最后说:“我今天请大家来,要宣布一件事情,就是有些人上了共产党的当,盲从共产党,图谋不轨,这些勾结共产党的人,我已掌握了确实的材料,不过我们还是宽大为怀,只要他们马上坦白自首, 我负责把他们全家送到台湾去,并且保证安排他们工作。否则的话,杀无赦,还会累及全家。何去何从,希望你们好自选择!”宴会结束,我们同毛森握手告别,泰然如故。

离开老闸分局,我和张中原计议对策,认为这次宴会是“鸿门宴”,是毛森布置我们来听他警告的。但我们决定今后一段时期内,继续原来的活动,在行动上要特别小心,要避免不必要的牺牲。

动员黄琪翔去解放区

连瑞琦

1947 年冬,蒋介石因战事节节失利,电令驻德军事代表团团长黄琪翔回国, 想利用他宣传国际反共逆流,藉以鼓励军心,挽回败局。

我把这个消息向吴克坚汇报。我们中一位同志劝黄不要做蒋介石的宣传员, 希望他到解放区去,并说服了他的家属,他们都同意去。

黄琪翔给蒋介石的报告,根据国际形势,分析社会主义阵营占优势,资本主义没有前途。蒋大失所望,却仍安排黄去台湾。我们建议黄乘此经台湾去香港,到港后与温康兰联系,转往解放区。他在香港等了一个时期,借机策反广东军队起义。黄琪翔是在北平解放后才去解放区的。

改天换地头一天

钱剑夫

1949 年 5 月上海解放前夕,我在交卸“上海市财政局副局长”职务后,调任上海市银行“代总经理”的二十天里,因为心力交瘁,正在生病。直到 24 日上午,当时的市长陈良打电话要我速去。替他办完几件事以后,他告诉我,他下午即行离沪,要我速赴市行。我到市行后,察看了各办公室,向各部门负责人作了些安排,并嘱咐情况倘有变化,即刻告我,留下专人和汽车司机值夜班。我回家时,沿途都是溃兵,但秩序尚好。汽车司机说他家在浦东,想请假回去看看,我便准了他的假。晚上,我在屋顶上看到,双方的炮弹都作抛物线互击。

25 日清晨,沪西已经解放,当时的代理市长赵祖康先生打电话给我,说:“局面已经变了。”市行还有大量的金银美钞和物资,叫我速去。我正要打电话叫值班司机时，营业部副理佘方耀和其他部门的负责人已乘车来到。这时我住在建国西路，到九江路外滩市行相距甚远。沿途还有零星巷战，我们只能从大楼里面一梭子一梭子的枪声中偷驰。

上海市银行大楼是从日本正金银行接收过来的，房屋颇为坚固，尤以库房比较先进，必须有三把钥匙同时开启，还有暗码。到行后首先是马上关门停业，以免坏人乘机抢劫或破坏，再由佘方耀陪着我查看库存(原兼业务部经理包玉刚早已离沪)，随即清齐移交册子，搁在我办公桌上以待军代表点收。我始终是坐在楼上的副总经理办公室(原副总经理朱慎微亦早离沪)，远望外滩，还在激烈战斗，房子震动，枪炮声不绝。

随后，赵祖康先生召集会议，由中共代表传达移交要点。我回行后又照样传达一次，心中暗暗佩服中共接管人员的神速。

这时，市行某办事处主任梁廷锦来向我请假，说他要到军管会报到(市行共有九个办事处，他是第几办事处已记不起)。为什么他要去军管会报到，我也不便多问，后来才知道他早已是中共地下党员。

经过全行工作人员的齐心协力，市行所有金钞物资都毫无损失。这天忙了整整一天，回家途上，犹似改天换地，我心情极为舒畅。病也好了，其时我三十五岁。

陈独秀的一首小诗

杜畏之

陈独秀因倡导“五四运动”及担任共产党总书记而声名大振，诗作反不为人知，其实，他的诗还是不错的。我曾读过他的诗，但现在只记得一首了，是他早年在杭州西湖作的。诗如下：

柳絮翻飞村路香，
酒旗风暖少年狂。
花前日系青骢马，
惆怅当年萧九娘。

诗中不仅能看到陈独秀青年时期生活之狂放，也可看到作诗功力不凡。

苏曼殊曾从陈独秀学诗

杜畏之

苏曼殊和陈独秀交谊较深。苏有诗才，但不谙平仄，陈便叫他辨别四声，后来苏写了不少好诗。这件事是六十年前一位朋友告诉我的。虽无法证实，但大体可信。苏曾有一首《留别陈独秀》的诗，称陈为“仲兄”，中有“乍合仍离倍可哀”、“排云谁与望楼台”等句，可见二人交谊之深。

狄平子佚诗

周退密

狄平子(楚青)，江苏溧阳人，父曼农(学耕)。父子两代均以收藏法帖、名画著名宇内。狄氏藏有元代王蒙《青卞隐居图》，号称“天下第一王叔明画”。平子工诗并精绘事，所作以山水、竹石之类为多，故传世之作甚少。曾为南通名士费范九画《淡远楼图》，并为题诗。诗云：“静里禅机梦里过，临风吹啸意如何？苍松翠竹无今古，淡远楼前夕照多。”

从“粪翁”到“散木”

杨友仁

抗战中，邓老铁(粪翁)常邀金松岑小酌于海上各寺院，论文谈艺。松老称道邓氏草书，谓“近三百年来独步”，并向邓索一对联，但有一条件，即下款不要用“粪翁”两字。邓氏即席请求赐名，松老赠之曰“散木”。典出《庄子·人间世》，取其不材为用之意。从此，邓先生即启用“散木”之名，而散木之名实始于是。

太平洋战起，我每月至吴门，向金师请益。于天放楼(松师读书处，原在其故乡吴江同里章家浜，后迁苏州濂溪坊)画壁，见悬一联，上联曰：“旁人错比扬雄宅”，下联：“过客来登谢朓楼”，邓氏为易一字，气韵更胜矣。

1984年间，我读《邓散木诗选》，有《读松岑先生却聘诗奉寄》(1945年作)五律一首，诗曰：“壮哉穷独叟，危时抱贞心。耻饮盗泉水，肯受东都金。脱粟纵不饱，夕阳倏欲沉。嗟彼冠带子，何为费沉吟！”是步松岑先生原韵之作。松师原诗：“明月照积雪，炯然见我心。我心励节概，七年成断金。侧耳听风谣，风过宵籁沉。雄鸡催天曙，推枕起长吟！”(此诗作于日本投降前夕，《天放楼诗季集》未收)所谓“却聘”，所谓“风过宵籁沉”，即指敌伪时江苏伪省长拟聘金老修《江苏通志》事。因是时，金老辞光华大学中文系教授归吴门，生计非常艰苦。然而坚贞抱一，终不出焉。于此两事，亦备见金、邓两先生之交往弥笃。

《四杰传》一对联

华道一

三十年代初，苏州作家程瞻庐根据"三笑"故事，写了一部章回小说《四杰传》，文字清丽，可读性强，比原来《三笑》弹词脚本是"青胜于蓝"的。其中"祝枝山写春联"一节，弹词脚本说苏州"赤练蛇"祝枝山在杭州"地头蛇"徐子建家大门春联上写的是"今年正好晦气，全无财帛进门"；后来祝和徐到"明伦堂"评理，祝说这春联应分三句读，成为"今年正好，晦气全无，财帛进门"。但对联一向是上下两联的，今说成要分三句读，实在无此先例，未免牵强。而且此联造句实欠工整，根本不合对联规格。程作《四杰传》把这联语改为"此地安可久居；其人好不伤悲。"到明伦堂评理时则说应读为"此地安，可久居，其人好，不伤悲。"如此上下联造句较为工整，而一加句读，吉凶顿异，比弹词原联高明多了。

丰子恺故居妙联

钱君匋

1946年秋冬之间，丰子恺师自重庆沙坪坝东还，卜居杭州西湖北岸之北山路八十五号。其地隔湖与林逋放鹤亭相望，东邻名刹招贤禅寺。杨柳依依，风景绝胜。余自沪往访，酒酣之际，恺师出联示余："居邻葛岭招贤寺，门对孤山放鹤亭。"

"好联，好联！"我不禁拍案叫绝，互饮一杯，共赞此联对仗之工，写景之妙。余问："此联出吾师之手笔否乎？"师曰："非也，此乃章锡琛先生所为，不愧为绍兴师爷也！"雪村(锡琛字)曾访其居，见其门对隔岸孤山之麓的放鹤亭，而东邻葛岭山之招贤寺，即脱口而出此联，不假典故，完全白描，诚妙语也。

后闻恺师自书此联悬诸客厅，见者无不叹为观止。此行余曾与恺师及师妹一吟、友人尹耀明于湖边柳下共摄一影，背面复书此联以作纪念。

清末诗社雅集照片

冒怀苏

我家旧藏“法源寺诗社雅集”照片一张，照片中左起依次序：温毅夫、曾刚甫、冒鹤亭、罗瘿公、郑太夷、陈弢庵、胡瘦唐、陈石遗、赵尧生、林琴南、林山腴、梁众异、潘弱海共十三人。时辛亥春日，即武昌起义前八个月。地点江亭，即现在的北京陶然亭。诗社名称未定，仅知陈石遗为主要成员之一，称为辛亥诗社第一集。在此前，曾有陈石遗、赵尧生、胡瘦唐、江叔海、翊云父子、曾刚甫、罗瘿公、胡铁华等人倡议成立诗社，规定每逢人日、花朝、寒食、上巳之日，选定名胜之地，各人携带茶叶果饼，分纸与各人，即兴作诗，五七言古近体悉听尊便，“坐送斜阳足馀味”，天黑则饮于寓斋，像酒楼那样，盛况可想而知。下一次集社预先指定一地，汇交前集之诗，互相评品，交流作诗心得，引为笑乐。主人则轮流担任，所谓选一胜地，须有亭榭花木者为聚集之地，才能成为吟思素材。至于第二集活动，未见记载，偶有“慈云寺看松”、“花之寺”等诗句，仍是照片中那些诗人。

照片中除一、二人外，大多数人均收入汪辟疆《光宣诗坛点将录》中，还有一些则被收入钱仲联《光宣诗坛点将录》，足见诗人词家声誉之高。一年前，书店同志赠我新出版的林山腴著《清寂画集》，书中提及这照片的人物浮沉。林在抗战胜利前两年作《玲珑四犯》词一阕，附注云：“影中……，皆先后逝，存者赵尧翁、冒鹤亭暨予耳，”未提及郑太夷、梁众异二人名字。盖赵、林当时在后方一致抗日，先祖则鬻书沪上，未染一官，而郑、梁则先后变节投敌，为人不齿。其后十年，剩下先祖乃至最后一人，至 1959 年 8 月逝世，年八十七岁。沧桑变迁，见物思亲，此照片弥足珍贵矣。

张元济与商务印书馆

周振甫

张元济(菊生)在清光绪时任刑部主事,总理各国事务衙门章京。戊戌政变时期,他因赞同维新,参予新政,被革职迁返原籍。他在离开北京前去看李鸿章,李还接见了他。他对李说:“国家之事糜烂至此,公何以不言?”李不答,端起茶杯送客,他只得告别。等他火车到上海,李鸿章却已打电报给盛宣怀,请盛在上海接他,送他到上海租界南洋公学,办译书馆事。清廷虽已把他革职,但在上海租界里他仍可在南洋公学任职。

当时夏粹芳在上海办了个印书馆,替外国人印书,张元济办译书馆,也去那里印书,因此与夏认识。那时各地创办学堂,需要新的教科书。夏想编印教科书,就请张来主持。当时张是进士出身,任职南洋公学,月薪有五百两银子。夏粹芳是商人,开的是一家小印书馆。张元济为祖国文化教育事业考虑,毅然放弃高薪,到印书馆去工作。张在该馆聘请名流学者,征集外国各种新的教科书做参考,先后编出了小学、中学到大学的各种教科书,为中国的文化教育事业作出贡献。

商务印书馆与“C.P.”

孙诗圃

北洋政府为防止赤化，下令查封进步书刊，以图维持摇摇欲坠的反动统治，如把《马氏文通》认为是马克思的著作予以查抄，没收焚毁。这是天大的荒唐。

无独有偶。商务印书馆的英文馆名为：THE COMMERCIA LPRESS LTD.，就用C.P.两字作商标，印刷在教科书等各种书籍的封底页上，这在北洋政府时代已然。

日本帝国主义侵华，继而又发动太平洋战争。日寇侵入上海租界后，发现商务印书馆的书籍上印有C.P.两字，认为这不仅是抗日，而且是共产党(C.P.)的宣传品，因此，就把所有书籍全部查封，拟予没收。

后经印书馆发行所门市部(今河南路福州路口)负责人顾祖荫(民进成员，今健在)和商务印书馆当局向敌伪政府反映史实，托人疏通，才获准发还部分图书。可见日寇的无知，堪与北洋军阀媲美。呜呼：“皇军大大的好。”

内山书店

涂忍寒

1917年9月，日本内山完造夫人美喜子，在上海北四川路魏盛里一号，开设内山书店。那是一所石库门小屋，在门前挂上招牌，张贴广告，最初经营东京警醒社的基督教圣书、赞美歌、信仰日记等书籍，也有一些新书，如《知识的源泉》、《信仰的原动力》等等。不久由于营业发达，于1929年迁至北四川路底一路电车终点站附近，交通便利，营业日盛。日本出版的书籍印刷精美，书价按日元折算，并不太贵，因此吸引了不少顾客。

当时鲁迅已从广东来沪，赁居在横浜路景云里二十三号，离内山书店不远。1927年，鲁迅和内山在书店认识订交，从此过从日密。据日本近藤春雄著《现代中国之作家和作品》中提到的，了解日本文化的中国作家和翻译家，除了鲁迅，如郭沫若、田汉、夏丏尊、谢六逸、沈端先、张资平、查士元、崔万秋、黎烈文、黄源、高明、汪馥泉、钱歌川、胡仲持、葛祖兰、刘大杰、樊仲云、钱稻孙、林伯修、俞寄凡、包天笑、陈望道、楼适夷、丰子恺、孙俍工、徐半梅、欧阳予倩、冯雪峰、朱应会、陈彬龢、林骙、章锡琛、查士骥等，同内山

完造都很熟识。内山在所著《花甲录》一书中自述，内山书店成立三十年间经售的中译本八百三十种，译者都是该店的顾客或与他有往来的作者。该店还先后供应左翼作家译本约三百三十种。内山夫妇经营书店三十年,对中国革命和新文化运动,起了积极的作用。内山完造有“中国通”之称,每年春秋二季,他经常游历我国各地。1945 年 1 月 13 日,内山书店创始者美喜子患肺浮肿病逝世。是年 8 月 15 日,日本侵略军投降。12 月 23 日,内山书店停业被接收。

内山完造一生著作有《花甲录》(1885—1945),1960 年 9 月岩波书店出版;《中国四十年》,1941 年羽田书店出版;《上海漫话》,1941 年改造社出版;《上海夜话》,1941 年改造社出版等。

上海最早的外文书店——别发书店

涂忍寒

上海最早的外文书店——别发书店，俗称别发洋行(Kelly & Walsh, Ltd.)又称英商别发印字房。1870 年(清同治九年)设立,专门从事西文书籍的印刷出版,兼营制造文具。

该店最早设在外滩招商局附近，后又两次迁至南京路十二号及六十六号。印字房设在新闸路西小沙渡路四百号。别发书店在外文书业中,历史最久,规模最大;香港、新加坡都有分店。该店除了经售英文版书籍以外,曾出版中国沿海和长江航运引水及西藏边疆调查、地图等等。工具书有剑桥大学汉文教授贾尔士(Herbert A.Giles)编著的《汉英大辞典》,按韵文排比,计一千三百五十四页。中国儒家经典《四书》和《诗经》;古典文学《离骚》、《唐诗》、《三国演义》、《水浒》、《红楼梦》、《聊斋志异》以及《古文观止》、《庄子》等等,都有英译本。还有《美丽的北京》、《花园城市苏州》、《扬子江风景》和《长江三峡》等画册。自然科学方面,有亚洲文会上海博物馆编辑的图书如《上海的鸟类》等。建筑、造船,有《中国建筑简史》、《中国桥梁》、《中国沿海捕鱼》、《沙船》等。人物传记有《孔子》、《老子》、《庄子》、《西施》、《貂婵》、《王昭君》、《杨贵妃》等,其中古代美女传记,都是伍联德夫人所著。此外,还曾出版过几种《上海租界史》和戏剧、烹饪、莳花等等书籍。该店出售的书籍定价都按英镑计算。

该店还承印“租界”时期工部局发布的文件、税则、规章和商业用书、《行名录》等。

1931年一场足球赛

孙俊在

旧上海的大学，往往想尽办法罗致一些优秀运动员，在比赛中获胜以扬校誉。大约在1931年，全市举行了一次大学足球锦标赛。当时交通大学和暨南大学两校足球队获得决赛权。交通队的中锋戴麟经，是仅次于球王李惠堂的有名的足球健将。他以某种原因与学校当局失和，很想脱离交通大学。暨南大学得知此消息，即以最优惠的条件，拉戴转学到该校。

那次决赛，暨大足球队登场，交大的"拉拉队"就多次高声大呼"戴麟经好！"当然这高呼含有讽刺性的。戴扭捏登场，面有难色。他本来一向主踢中锋，那次却改踢后卫。这样可以较少和对方老战友冲突，缓和一些敌对气氛。但是当他每次踢出一球，交大的"拉拉队"仍连呼"戴麟经好！"甚至观众也高呼"戴麟经踢得好！"致使多数观众包括作者在内，几乎不大注意全场的比赛，而将注意力集中在戴麟经身上。在此情况之下，戴想敷衍了事，又对不起暨大，要想出尽全力，又不好意思向老战友进攻，实在左右为难，进退维谷。听到大家高呼，刺耳触心，大有啼笑皆非之慨。

最后决赛结果，交大足球队终以失去了戴麟经这样的健将而告失败，暨大足球队获得了锦标。

费慎祥出版鲁迅著译

胡 嘉

鲁迅的著译,在二十年代,大都是由北新书局出版发行的。

1926年"三一八"惨案以后,北京白色恐怖日益严重,鲁迅被列入通缉名单,被迫离京,南下厦门、广州执教。但是,1927年"四一二"反革命政变以后,广州也发生大屠杀,鲁迅于秋末又离开广州到上海。那时候,《语丝》已在北京被禁,北新书局总局因被军阀捣毁、查封,也迁来上海,把上海分店改为总店。

由于大气候的动荡,上海也不安全。三十年代初,北新书局两次被封,第二次还改了招牌,易名青光书局。当时,鲁迅曾说:"加以战争及经济关系,书业也颇凋零,……"、"……弄笔者或杀或囚,书店(北新在内)会被封闭,……"、"四月间北新书店被封，于生计颇感恐慌，现北新复开,我们书籍销行如故,所以没有问题了。"(《鲁迅书简》)

费慎祥原来是北新书局的职工，三十年代

初，我在七浦路北新书局编辑部工作时，和他认识，他因经常跑印刷厂并向作者送信和清样，认识了鲁迅。1933年他利用这个关系，把书局不便出版的，用“野草书屋”的名义出版了乐雯编校的《萧伯纳在上海》；这书实际是鲁迅和瞿秋白合编的，鲁迅还写了序言。他又出过曹靖华翻译的《不走正路的安德仑》。这两本书出版后当年就被国民党查禁。野草书屋没有固定的地址，出版的书也是委托各书店代销的。鲁迅向费慎祥建议，为了避免国民党的注目，改名为比较通俗的联华书局，并把别家不肯出版的禁书，如《花边文学》、《小彼得》、《坏孩子和别的奇闻》等交联华出版。又用同文书局的名义出版《南腔北调集》，用兴中书局的名义出版《准风月谈》，这两本书出版后也先后被国民党查禁。

联华书局是费慎祥自己经营的，还出版了其他几本书。他后来脱离了北新书局。

弘一写字模

钱君匋

开明书店一年比一年好起来，自己有了一家由章锡琛的内弟吴仲盐主持的美成印刷厂，是开明的附属厂，专门印刷开明的出版物。它在印刷上有一些开拓的做法，如章锡琛研究自动排字机等，拟用于改进活字排版，使其速度增快，劳动强度减低，后来没有完成。而夏丏尊则想改良字模，倡导请弘一法师手写一副铸字铜模的字样，深得章锡琛及同人赞许。于是由夏丏尊去信商请弘师书写，弘师为了弘扬佛法，制成后可排印佛家经典著作，以及弘师的《四分律》等书，就答应试写，不久寄来了根据字典部首写的部分字样。开头的二三个部首没有什么与佛教有抵触的字，夏丏尊看了果然是眉飞色舞，开明同仁也同样赞不绝口，因为它显示了新的面目，可与中华、商务的仿宋体铅字并驾齐驱，三分天下了。但是稍后弘师来上海访问夏丏尊，一次在宴会上的话题中，弘师触及到字模的事，他很礼貌、很恳切、很虔诚地说："字模引起了意外所没有想到的事。当初以为写了字模的字样，制成活字后可以排印佛教经典，弘扬佛法，殊不知还可排印用文字写成的其他书籍。排印一般书籍，又往往要多于排印佛教经典；而其他书籍的内容，有不能尽合佛家的禁忌者，当然我不能一一指出。如女部中的某些字，是佛家所禁忌的，那就不能写了。我贸然答应书写，没有考虑周密，致有今天的爽诺。各位仁者鉴其粗心大意，及早改正，停止书写，以免罪过，阿弥陀佛。"一席话大家听了非常同情，当然不能勉为其难，书写字模的事只好中止。

以前寄到的字样都经我手，我反复观赏，觉得弘师所写的，非常超脱，用笔结构全然与众不同，果能制成字模，一定会轰动印刷界、文艺界，

但是现在已经无法实现了。后来我离开开明，这些字样如何处理，也就不得而知了。

邵洵美搞出版事业

章克标

三十年代著名作家邵洵美，曾致力出版事业。他家产富有，先是变卖房产，得了一大笔钱，用来开办了“时代印刷厂”，向德国购买机器、设备，引进了影写版印刷机，来印他接收下来的《时代画报》。后来又为出版《金屋月刊》开办了金屋书店，那可以说是“狮吼社”的发展。狮吼社本是以滕固为中心的一个文学小团体，出版过一些刊物，但没有资财，只能依靠别的书店帮助，而刊物也只好时生时灭，断断续续表示狮吼社的存在。

当初，狮吼社同人带有颓废派、惟美派的色彩，跟洵美趣味相投。洵美从欧洲回来，就同狮吼社同人成了好朋友。不久滕固转向政治活动，脱离了文艺界。因之，出版《金屋月刊》，队伍十分单薄，撰稿人很少，刊物也经常脱期。金屋书店出版了些书册，但是没有一册能够得到畅销，因之书店是长期蚀本亏损。洵美却自恃有钱，甘心亏损，并不失望。

他又另办“时代图书出版发行印刷公司”，

分印刷厂及书店两部分。当然金屋书店就归并到时代书店中去了。印刷厂虽是新设立起来的,人员也都是新招收的,却只是影写版的制版及印刷,书店里的凸版印务,还是要交别的印刷所去办理。只有《时代画报》才是自己印的。所以只占用很小一部分印刷力,业务只好空下来。后来虽然接印每周一次的《申报画刊》,但分量不多,仍有不少多余生产力。

时代书店除出《时代画报》外,还出了些杂志,有《论语》半月刊等。《论语》是林语堂编的,一时销路很好,因此时代书店也借了点光,打出去了;另又出版《时代漫画》等等,得画家艺术家支持,也开创了新局面。还有《人言》周刊和《十日谈》旬刊,也在那个称为"杂志年"的时期,凑了阵热闹。这样,他的稿出版,总算暂时还可敷衍过去。表面上倒也兴旺发达。

1937年"八一三"日寇侵沪,设在平凉路杨树浦路口的时代印刷厂,正当火线上,一打仗,当然不能再经营下去了。邵看到战争不会短期内结束,只好贴点费用遣散了全厂员工,让他们各自逃生谋出路。战争打下去,书店生意也没有了,开始因还有存书可以出售,可勉强维持,不过对外埠的营业,自然只能停歇。留下几个遣不散的人,苟延残喘。到最后也只能歇业。

蒯斯曛和席涤尘的英文名

胡道静

著名翻译家、文学家，在解放战争期间曾任粟裕将军秘书的蒯斯曛，二十年代年轻时在复旦大学读书，与爱好文艺的同学席涤尘非常友好，同办文艺刊物，同住一间宿舍。两人宿舍门口的名牌上写“Citizen's Question”，第一个英文字的语音恰好合于席涤尘，第二个字则恰好合于蒯斯曛；两个英文字联起来的意义乃是“公民的问题”，真是妙极了！不料他们的另一同学好友曹胡子（名字已记不起，因满脸落腮胡子，席、蒯管他叫曹胡子）看了名牌，特别注意到Citizen的那根尾巴（'s），于是讪讪地对他们说：“好哇，蒯斯曛成了席涤尘‘家的’了”，弄得大家轰然大笑。

嘉业堂藏书楼的贡献

刘䜣万

我父亲刘承幹曾在故乡吴兴县南浔镇创建嘉业堂藏书楼，费巨资收购大量古籍，把它收藏保存起来。同时翻刻一些珍贵罕见的或在学术方面有价值、但未经流传的著作,流通传世。他在开始收买书籍时我尚年幼,据说各类古书兼收并蓄。我十几岁时经常有各地书贾送来各类古书求售,我就觉得我父亲在买书时是有所选择的,重点是在历史方面。凡是有关史料的书可以说是来者不拒,照单全收。即使是那种刻印粗劣的专载各种官职官名的书,也都买下。所以在藏书之中,史部方面是相当完备。因此不但为学术界提供过参考资料,也曾在外交方面起过一些参考作用。近十年内我曾得知有几次关于国境边界的谈判,曾经查找过藏书楼的藏书。我曾看到过一本《嘉业堂抄校本目录》,这是一位在藏书楼工作多年的周子美先生辑的,内中记载了清代陈愈所辑的《平定罗刹方略》等书。

我故乡所出《南浔通讯》第八期(1988),有朱芳芳题为《周总理和我谈起藏书楼》。内中说,1961 年朱在上海见到周总理,当谈到他是南浔人时,总理对他说:“你们南浔有个嘉业堂藏书楼,有一部分边界方面参考资料是从藏书楼里找到的。”说明在藏书楼内确有一些有用的资料,也可算藏书楼对国家有贡献了。

鲁迅为《信》作序

胡 嘉

《信》是一本流传不广的书信集，三十二开铅印本，程鼎鑫自费出版，上海北新书局代售。

三十年代初，我在上海北新书局工作，编辑部同事程鼎鑫把他和爱人金淑姿女士的通信编辑成书，约有十多万字。当时鲁迅的作品大部在北新书局出版，同仁和鲁迅来往较多，程鼎鑫有机会同他接触，就乘机请鲁迅为《信》作序。鲁迅的序是用文言文写的。

当时程鼎鑫在北新的工作主要是协助姜亮夫注释《北新活页文选》。他住闸北俭德会宿舍。

与七浦路北新书局编辑部相距很近。由于我们都是单身在外,他常邀我到他寓所闲谈。他曾把《信》送我留作纪念。因为印数不多,外间流传极少。但由于有鲁迅的序文,而且是用文言文写的,所以这本书现在也已成为珍品了。八十年代上海书店曾影印此书,辑入《鲁迅作序跋的著作选辑》。

胡适朱经农译书谨严

张肇基

胡适自己作文,每小时平均可写八百至九百字,而译书每小时平均只能四百多字。他主张自己作文只要对自己负责、对读者负责就够了。而译书则主张第一要对原作者负责,不失其原意;第二要对读者负责,使人家能理解;第三对自己负责,做到不自欺欺人。

朱经农一小时内至多译三百字左右。有时为了一个字或一句话,常常几十分钟不能下笔。后虽然勉强译出,但自己还是不满意,常常一连三五天,早晨、晚上,吃饭、睡觉,都在推敲那个难译的字或句子。当始终找不出一个完全满意的词句时,就像章行严那样,把 Logic 译作"逻辑",把 economy 译作"依康诺米"。

从《馨儿就学记》到《爱的教育》

胡　嘉

《馨儿就学记》在目前已是一本鲜为人知的儿童教育小说了。

但在20年代初，当我还在读小学的时候，曾被商务印书馆出版的《馨儿就学记》迷住。这是一本充满感情和爱、文字流丽而富有中国味的教育辅助读物。著者包天笑，署名“天笑生”，苏州人。馨儿是他钟爱的男孩，名“可馨”，生得俊美而聪明，未满三岁，就殇亡了。那时包天笑正在翻译一本日本小说，用它来纪念自己的孩子。

其实这本小说是他从外文转译来的，但已把书中的人名、习俗、文物、起居一切都改成日本化，包天笑又进一步把它中国化。该书是日记体，用中国旧历(阴历)。比如有一节《扫墓》，写清明时节他家在支硎山下白马涧扫墓，完全是创作了，读起来多么打动幼小的心灵啊！难怪包天笑到了老年还自我欣赏（见《钏影楼回忆录》）。《馨儿就学记》从1909年2月起在商务印书馆出版的《教育杂志》发表，连载十三期，1910年出版单行本，每册售价三角五分，畅销不衰，一直到1938年在长沙的商务印书馆还出版国难后第四版。据包天笑自述,“此书绝版时,印数当可十万册。”

《爱的教育》其实是《馨儿就学记》日文原本的原本。意大利人亚米契斯著,1925年夏丏尊重译,改名《爱的教育》。最初也在商务印书馆出版的《东方杂志》发表,1929年在上海开明书店出版。1936年重印至二十一版,抗战时经译者修正后重版,也印过十七版。当时上海的中学差不多都采用本书作为辅助读物,因此极为畅销。

夏丏尊还译过孟德格查原著的《续爱的教育》,1930年开明书店出版。两书都作为《世界少年文学丛刊》。《爱的教育》有丰子恺装帧的封面和插图,为本书增色。

《爱的教育》另有两种译本,柯蓬舟译《爱的学校》和施百英译《爱的教育》,但销行都不广。

冒名出版的《文章构造法》

胡 嘉

1933年6月18日,中国民权保障同盟副会长兼总干事杨杏佛(1883—1933)在上海被国民党特务暗杀,一个爱国的、进步的知识分子倒下了,许许多多正义的人们都在悲痛! 不久上海市上却出现了一本封面署名杨杏佛著、杨人楩编的《文章构造法》。全书一百五十四页,三十二开本,报纸印,约五万九千字。

《文章构造法》分上、下两部。上、文章之部,分纲要、记叙文、记静态文、记动态文、记事文、论辩文、耐驳、动听、教学的方法等九节。下、诗歌之部,分前言、奔进法、回荡法(上、下)、蕴藉法、女性文学等六节。卷首是"序",没有署名。卷末也没有出版地点和书局名称。序言说杨杏佛先生"著作数量并不多","本书也可以说是杨先生仅有的遗稿"云云。

为了好奇,它有可能欺骗人们去购买,但能使人相信这是杨先生的著作吗?

隔不多久,杨人楩就在报纸申明否认他曾编过这本书。当时杨人楩还在苏州中学教书,次年考取中英庚款(二届),在英国牛津大学奥里尔学院留学,来信要我把这启事从报上抄录送交当时在北平的中英庚款中国委员胡适。胡适是杨杏佛的熟友,为了发现这可疑的"遗著"而追查这件事情的。

《文章构造法》的"编者杨人楩"是冒名,那是肯定的了。"著者"是否"杨杏佛",却是人故无对证。后来我对照杨杏佛先生已出版的《杨杏佛讲演集》(1927 年商务印书馆出版)和《杨杏佛文存》(1929 年上海平凡书局版),觉得杨先生在回国以后十一年(1918—1929)中,"由实业而教育而政治",为"实业改造、教育革命、民族独立"而奋斗,"未尝以文人自期"。写的都是"有触而发,不吐不快之言。"从内容和文字来同杨先生其他著作比较,认为《文章构造法》的写法和格调,都没有杨先生的风采。

最明显的漏洞是,《文章构造法》的序文说:“本书上部关于文章的构造之研究,是杨先生在中央大学的讲演。下部诗歌的构造法,是在北平燕京大学的讲话。”我为此曾问过杨小佛,他说:“据我所知,先父未在中央大学和燕京大学教过书。”

天虚我生的“译著工场”

丁 悚

陈蝶仙别署“天虚我生”。他在创办“家庭工业社”,发行“无敌牌”牙粉以前,除编纂书报外,经常自撰各种小品和小说,复与李常觉、吴觉迷等合译欧美名家小说。各书刊需要他们的译作甚殷,约稿应接不暇,遂有分工合译的建议。

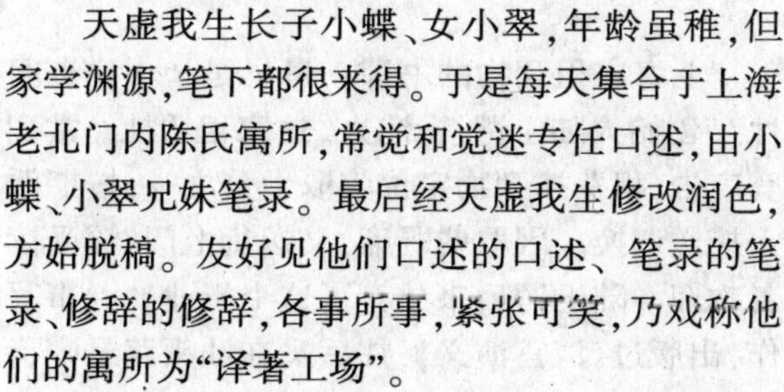

天虚我生长子小蝶、女小翠,年龄虽稚,但家学渊源,笔下都很来得。于是每天集合于上海老北门内陈氏寓所,常觉和觉迷专任口述,由小蝶、小翠兄妹笔录。最后经天虚我生修改润色,方始脱稿。友好见他们口述的口述、笔录的笔录、修辞的修辞,各事所事,紧张可笑,乃戏称他们的寓所为“译著工场”。

欧美名家小说经他们译著的有七十余种,如迭更司《双城记》,译名《二城风雨录》,刊《申报·自由谈》。《辟克威克外传》译作《旅行笑史》，前集由中华书局出版，后集刊《春声》杂志，稿未完，故未出单行本。英国女小说家亨利·瓦特的《嫣红劫》，约二十余万字，也刊《申报·自由谈》，亦未印单行本，原草稿及改本，由前上海市商会商业图书馆保存。这部原著后来又经长沙丁宗一、南通陆坚合译成《贤妮小传》，由商务印书馆出版。其他如《郁金香》、《弃儿》、《秘密之府》、《薰莸录》、《柳暗花明录》，还有侦探小说如《福尔摩斯》、《亚森罗苹》、《桑狄克》等十余种，或印单行本，或刊报纸杂志。他们的译著也署名不一，有时实写，有时虚构，间或用“太常仙蝶”，惟稔者一望而知是“译著工场”的作品。

上海租阅刊物的创始人

丁 悚

上海出租刊物的书肆，最早是“小说贯阅社”。创始人陆士谔，青浦人。这家租赁社经常刊登广告，租费按刊物定价收取十分之一，按期派人接送调换。因取费既廉，又送货上门，深受读者欢迎。陆士谔后来放弃了这个行业，专事写作，出版过《清宫演义》，往后又在汕头路悬壶行医。

陈独秀为刘海粟题画

华道一

1935 年冬，刘海粟作《黄山孤松图》，自题云："吾爱画松，尤爱黄山之松。乙亥大寒，游黄山于云光中，草草以不堪书画之纸笔成此，得失难定，高明者必有以教我也。刘海粟写于黄山文殊院。"下钤三印，两印均白文，第三印朱文"曾经沧海"。

此画曾经陈独秀欣赏，并亲书题记云："黄山孤松，不孤而孤，孤而不孤。孤而不孤，各有其境，各有其用。此非调和折衷于孤与不孤之间也。题奉海粟先生，独秀。"下钤一白文印"独秀"

二字。此画至今仍存。

吴湖帆为王胜之偿画债

汪葆楫

王胜之世伯晚年隐居南翔，卖书画。逝世后，遗有求画者画债若干未偿。吴湖帆为作画以付求者。友谊敦笃，亦可风也。

张善孖、张大千的人物画

冒怀苏

抗日战争爆发后不久，冒鹤亭倦游返沪，路过苏州，张善孖自告奋勇，为冒画像。冒鹤亭返沪后即寄去一幅照片。张为要突出诗人气质，画冒鹤亭坐在白皮松树旁一石上，相貌逼肖，款署“后学张善孖作于吴门网师园”。今苏州网师园中的栝树，即当年张善孖写画像时的标本。为此，冒鹤亭题诗中有“……张氏兄弟皆畸人，善孖能为虎写真；随身一虎伴衣食，不惟其貌惟其神。……长安金市邱山积，得君寸楮珍拱璧；君胡不画党大虫，画此衰翁有何益”之句，诗未寄出，张善孖回重庆没多天就去世了。

在此前，大千先后亦为冒鹤亭画《写经图》二幅。1921 年冒鹤亭因母亲病逝，辞官回家。购得康熙时查昇、俞培画的《写经图》画卷纪念母亲。又先后请当代著名画家顾鹤逸、王一亭、溥心畬、曾农髯等人另绘《写经图》。十几年后，又陆续请唐云、谢稚柳、钱瘦铁、郑慕康等人续画《写经图》，计前后共近二十幅。张大千画的《写经图》作于 1934 年，先是描绘冒鹤亭在树丛下的茅屋中写佛经。后来他从黄山归，忽改以黄山为背景，画冒鹤亭在岩间一洞室写佛经。画幅长达四尺多，较第一次所作更有气势。画毕，又在第一次所作上书跋，有“此幅不称意，另为改作”等语，连第二次工笔重彩新作，一同寄给冒鹤亭。冒鹤亭即作古诗：“……图成自谓不称意，平生胸有黄山气，兴来伸纸再吐奇，鹰阿渐江真舍避。……”诗中鹰阿，即戴本孝，与渐江均为清初安徽名画家。

抗战胜利后，大千辗转来沪，曾为冒鹤亭画扇面，画一身穿长袍者立在山坳上，侧对寒塘衰柳，简练洒脱，款署“丁亥(1947)写拟疢斋仁丈教正，大千张爰”。未几，大千出国，往来乃止。

在张大千老师身边

钱悦诗

张大千老师对朋友古道热肠，慷慨大度。他和我大姐夫谢玉岑是挚友，情逾骨肉。玉岑于1936年，病殁常州，老师和二老师善孖先生都去常州送葬。玉岑患肺结核卧病常州时，老师经常从苏州去常州探望，嘘寒问暖，并每次必绘画相赠。以后老师对玉岑遗孤也多有照顾。先父名山先生有赠诗云："远寄成都卖卜金，玉郎当日有知音。世人解爱张爰画，未识高贤万古心。"

1951年，老师在香港筹款准备出国，忍痛割爱出让珍藏的古画，他依依不舍，关照家人拿走时，不要让他看到。其中一幅顾闳中的《韩熙载夜宴图》送走前犹嘱咐我细细观赏，吸收传统技法，足见老师对弟子的关心。

老师喜欢弟子们在身边看他绘画。他边画边讲授说："要成为一个画家，就应该全面学，山水、人物、花鸟都要能画，但允许长于此短于彼。"他爱摆龙门阵，上下五千年，纵横九万里，无所不谈。高兴时给弟子们猜谜语。记得有一个谜面是，"非霸王，是霸王"，射一物。我猜了好半天才猜出是"翡翠"两字，可谓妙极。

老师爱猿。他说："猿和猴子一样。但猿是君子，猴是小人；猿有灵性，最有感情。”老师在港时有一只从印度带来的小猿，很有趣，像小孩子似的，老是乖乖地坐在桌子一角，见人过来就伸臂要抱，很可爱。

老师家很重礼貌。他和我们一起的时候，师兄总是站着不坐下的，弟子们也都站着。吃饭时，如师母先吃完饭，要把筷子搁在碗上，表示是陪我们的意思。我们看到，忙将师母的筷子放下；而师母总要谦让再三。记得有一天下午，点心是烧鸭辣油炒面，老师微笑着说：“我的弟子可要学着吃辣呀!”烧鸭辣油炒面滋味极鲜美。此后我再也没有吃到那样滋味好的炒面。

我于 1951 年返沪，老师和师母都亲自送我到车站，使我万分感动。哪里知道从此与老师成了永别。每当我回忆起老师对我的教导和关怀，总感到有一种力量在督促我努力上进，使我多年来在绘画专业上不敢稍怠。

吴昌硕与曹拙巢

曹用平

光绪二十年甲午(1894 年)八月，吴昌硕先生五十一岁，是年吴大澂督师北上，抵御日侵，先生应邀参佐戎幕，立马榆关，耳为炮战震聋，遂号大聋。

老友曹拙巢先生，晚清举人，住山阴路。学识渊博，精岐黄，性耿介，晚年耳背，与昌硕先生时相过从，交称莫逆。

1920年重阳前一日，昌硕先生宴请曹拙巢于功德林素菜馆，在座者有诸闻韵、诸乐三等。老人相聚，借助笔谈。谈诗论艺，好不高兴。饭毕，乐三先生将笔谈之纸作为艺术珍品，怀归宝藏。余曾就此证诸乐三先生公子诸涵先生。据答确曾听家父说起过此事。现乐三先生已归道山，不知此一珍品散落何处？

胡亚光画像

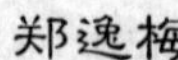

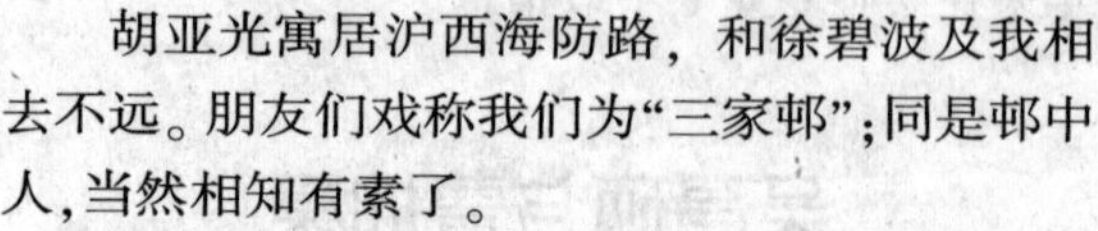

胡亚光寓居沪西海防路，和徐碧波及我相去不远。朋友们戏称我们为“三家邨”；同是邨中人，当然相知有素了。

亚光有一印：“家在南北二峰九溪十八涧之间”，当然是杭州人了。他是大货殖家胡雪岩的后裔，工丹青，和北方吴作人同为画熊猫两大圣手。可是亚光别有一道，画人像惟妙惟肖。据我所看到的，如章太炎、夏敬观、张大千、张公威、鲁迅、唐云、高吹万、包天笑、朱大可、陆丹林、黄蔼农、徐特立、梅兰芳等，所画的都是一时名彦。那幅梅兰芳的像，便服洒然，充满着书卷气，但倩笑美盼，在眉宇间却又流露着红氍毹上的婵娟美态；个性和职业性，跃然缣素间。奈造像方完稿而梅氏遽尔谢世，致不及送往缀玉轩，结果归诸我的纸帐铜瓶室。

我很喜欢这幅画像，题了一首诗："莫问今人犹昔人，唱残白雪值阳春。梅魂菊形商量遍，合配琳琅万轴身。"前二句集的是王荆公诗，后两句，集的是龚定庵诗，似乎尚觉确切。

亚光又按着照片，为周鍊霞绘一中年像，铅黛饰容，益增妩媚，衬以落英雏鸟，题"惜花人独立，微雨燕双飞"。散藻摛华，含芳吐蒨，成为一帧晓楼外史的仕女图。驻颜有术，出于渲红晕碧、轻描细勒之中，鍊霞为之喜形于色。

年来杭州的虎跑及闽中的泉州，为弘一大师先后设立纪念馆，亚光又绘弘一缁衣戴帽半身像，慈祥悲悯，兼而有之，可说是绮障枯禅，尽收笔底了。

谢之光早年成名作

张联芳

谢之光画师是我青年时的老友。还在二十年代，同在黄楚九门下，当时我是上海日夜银行的文牍员，他担任黄老板管辖下各单位的画件。其时之光是画西法画的，例如中西药房、中法药房所制新药商标，福昌烟公司的香烟画片等。就是大世界济公坛内的济公画像，也是他的作品。

他与我同坐一个办公室，天天在一起。那时候市上风行的年画，俗称月份牌，多数是时装美女。九福公司为了宣传“百龄机”新药，用“百龄机有意想不到之效力”作为宣传语句，黄老板就要他画一张《唐伯虎九美图》。这张月份牌画了好几个月，确实花了不少心血。印刷方面由日本人创办的上海印刷公司承印，据说用九套颜色。画面生动，色彩鲜艳，令人耳目一新，轰动一时，成了谢之光早年的成名作。

汤定之画松

袁淡如

汤涤，字定之，江苏常州人。来上海后，寓胶州路。擅长山水，尤善墨松。因其谈话很风趣，故受人亲近。梅兰芳曾跟他学过国画。他常说：“对古人遗产，不能不学，但不能死学。”故经常观察自然，从中体验画意。

由于过去银行签字、批文的毛笔，多用七紫三羊毫，用旧之后，笔锋坚硬。汤定之与银行界很熟悉，因画松需要，常到银行文书科来索取旧毛笔，用秃笔画松。他画的松，树干苍劲挺秀，松针刚劲挺拔，是前人所没有的画法，创立了自己独特的风格，亦是艺术创新的实现。其人身体比较瘦弱，但画出来的松则刚劲有力。

二十年代参观上海美专人体画教室

姜　豪

1926年至1927年间，正当北伐革命空气浓重之际，我在交大前身南洋大学读书。我们学生中有个“书画社”的组织，请刘海粟当我们的导师。刘每星期来校义务教授一次。当时裸体画被看作是神秘的事物，他为使我们对它有个正确的认识，特邀我们到他创办的上海美专去参观。

我们参观了一些教室，其中有三、四个教室在画裸体画。每一教室内有学生五十人左右，布置也与一般教室不同，每室有一位裸体女模特，位居教室中央一座一米多高的圆台上，台上铺有一方彩色布。每个女模特的姿势不一样，有的直立，有的斜躺，有的端坐。学生男女都有，分布四周，面向模特；各人从不同的角度取景，画面上也就出现了不同的人像。学生中有的坐着画，有的立着画，态度严肃认真。室内寂静无声，充满了幽美、和谐、端庄和生意昂然的气氛。我们轻轻进入教室时，学生视若无睹的照常作业，并无左顾右盼的分心现象。

参观画室以后，使我们体会到人体健康美的艺术尊严性，从而提高了对人体画珍贵圣洁的认识,清除了各人心中或多或少的神秘感。

天下谁人不识君

丰一吟

六寨！——对,是六寨！我总算想起了这个地名。连忙查地图,果然,在广西省与贵州交界的地方,有一个名叫六寨的村镇。

那是1939年岁暮的事。日军在广西南宁登陆后,继而攻陷宾阳。父亲任教的浙江大学当时正在宾阳以北的宜山。教职员工和学生各自分别往贵州逃难。我们一家十口,分处宜山和思恩两地。父亲让我的三个姐姐、两个哥哥,还有姑妈,共六人,分作数批先行,以贵州都匀为目的地。他自己则步行到德胜,与我们从思恩出来的老小家属相会。父亲带领我们四个人——七十多岁的外婆、怀抱一岁婴儿的母亲和十岁的我,已不能再分开。但五个人要在德胜搭车,根本不可能。于是先坐滑竿(一种简易的轿子)到达河池。父亲已经濒于绝望,打算跟旅馆老板到乡下避难了。后来全靠旅馆老板请他写一副洒金纸的对联,拿到人行道上去晾,一位汽车加油站长看见了，特地上楼来请父亲作画，并于次日让我们五人坐上车子，往都匀进发。这一段因缘，被父亲描写在《艺术的逃难》一文中。我这里就不再赘述了。

就在从河池到都匀的途中，汽车在六寨停宿，我们住进一家极其简陋的旅馆。到达都匀是元旦，天气相当冷，而旅馆里床上还铺着竹席。我们只得熬一熬，冷冰冰地躺了上去。

我还没来得及把席子睡暖，忽然房间里涌进一批士兵来。一位长官(连长之类)闻说画家丰子恺在此下榻(大约是从行李的票签上得知的)，连称“久仰”，带了一大帮弟兄进得门来，站在天井里，像看戏一样看我父亲。他们有的爬在天井里的石条上，有的干脆搬来长凳站高了，一个个伸头探脑向我们房内张望。一霎时，我们的“房间”似乎变成了舞台。外婆吐一口痰，妈妈把弟弟小便，都成了他们观看的对象。我们睡也不是，坐也不是，只好为父亲当配角，让士兵们盯着“看戏”。父亲毕竟是见过世面的人，他用手捋着美髯，站在房间正中，对士兵们作了一番即兴的讲演。我虽不记得其内容，但总是很精彩的吧！讲完后，引起了轰动的掌声。刚才在竹席上躺了一下的我，本来有点毛骨悚然，这时忽然感到热血沸腾。再躺上去时也就不觉得凉了。

这是一件小事。我随父亲逃难，一路上遇到不少这一类仰慕者，有的仅慕名而来看看他，有的则帮我们解决车舟住宿等问题，后来从此成了我们的好朋友。

唐代诗人高适《别董大》诗云:"千里黄云白日曛,北风吹雁雪纷纷。莫愁前路无知己,天下谁人不识君。"用末两句来描写我父亲,倒也确切。

六寨的事虽小,却颇有代表性。以前我从未把它写进《丰子恺传》或"年表"中,这次忽然从回忆中"跳"出,赶快抓住,不可不记啊!

丰子恺做不成和事佬

蔡绍怀

1943 年春天我在重庆由友人介绍，认识了丰子恺、徐悲鸿两先生。以后过江经常与丰老见面。公余之暇,经常到丰家叙晤,有时吃酒,有时唱京戏。丰先生冬天踢毽子,还养了鸽子,其乐融融。

有一天我们约好到磁器口去，在一家小酒店便酌休息。丰先生突然告诉我一件不愉快的事:做和事佬没有做成。因徐悲鸿先生与蒋碧薇女士夫妻间不睦，造成离婚。徐请丰先生来调解,打算言归于好;可是蒋女士把那离婚启事高高挂在客堂里,有时又大吵大闹,坚决不听丰先生的劝解，弄得不欢而散。丰先生做不成和事佬,对此非常遗憾。

颜文樑自制油画颜料

承名世

余任苏州美专国画教员时，与颜文樑先生交往甚多。闲谈之中，颜先生经常回忆其当年学画经过，甘苦之言，含意隽永。其自制油画颜料一事，尤堪玩味。

油画之传入我国，或谓在明清之际，然其工具、材料，至清末民初，国内尚属鲜见，且因全赖进口，故价格昂贵，学生难以问津。颜先生既立志研习油画，所需工具，材料之类，亦以种种缘由，不能大量购得，尤以颜料来源为头痛事。因生一念，欲以自制品代替，或可稍解后顾之忧。时颜先生尊人颜元，师任伯年，作花鸟、人物，名满吴中。颜先生遂利用家中所存之国画颜料，如铅粉、石绿、石青、朱砂等粉质材料，掺以食油调和之。颜料虽呈油性，却因过于稀薄，不能作画，第一次试制乃告失败。

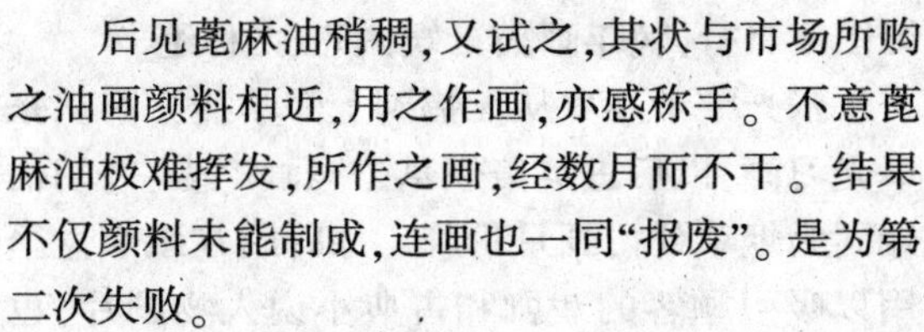

后见蓖麻油稍稠，又试之，其状与市场所购之油画颜料相近，用之作画，亦感称手。不意蓖麻油极难挥发，所作之画，经数月而不干。结果不仅颜料未能制成，连画也一同“报废”。是为第二次失败。

不久，偶读一书，见有西人以鸡蛋清掺入颜

料之说，不禁“茅塞顿开”，急取鸡蛋数枚，以蛋清与国画颜料拌和之，试作一画，居然干燥甚快，正欣喜不已，岂料此画经风一吹，色块纷纷皲裂剥落，几天之后，面目全非。一番辛苦，又付东流。

三次自制油画颜料，均以不成而告终，然颜先生习画之志，并未颓丧。有时改水彩、粉画作画。其早年作品《厨房》、《肉店》，皆为粉画，先后荣膺国际画坛殊荣，引起海内外美术界的重视。前辈大师于逆境中奋发开拓，于此可见一斑。

张氏一门三画家

守　三

二十年代末，上海滩上有三位漫画家同出无锡张氏门庭：老大张光宇、老二曹涵美(继舅氏改姓)，老三张正宇。张光宇是漫画界前辈，以阔笔画名于画坛，代表作为《西游漫记》。曹涵美以画《金瓶梅》细笔插图有名于当时。张正宇以装饰图案当行，晚年画猫自娱，书法尤称绝。

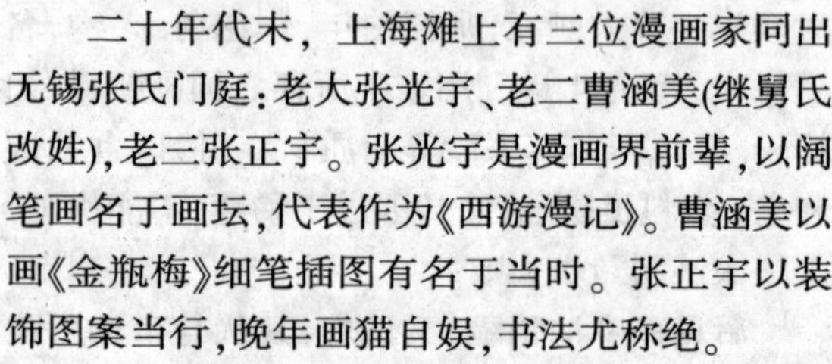

张光宇十几岁从无锡到上海学徒，都从张聿光习画，以后进英美烟草公司画广告，与胡伯翔同为烟草公司画月份牌。那时附在纸烟盒里用以吸引顾客的戏剧和古典小说人物画片，也出自张光宇之手。许多小孩喜欢收集这些香烟画片，也有灵秀的孩子以后临摹习画成为人物画家的。

光宇、正宇兄弟先自办《三日画报》,以后又与黄文农、鲁少飞、叶浅予合办中国第一本漫画杂志《上海漫画》,社址在山东路麦家圈(仁济医院隔壁,医院扩建时已拆去)。这里可说是上海漫画的发源地。

张光宇后来与邵洵美合作，由邵和曹涵美各出资二千元创办时代图书公司，出版时代漫画、时代画报、时代电影和论语杂志。张氏兄弟既是画家,又是出版家,对中国艺术事业的发展作出了特殊的贡献。

光宇、正宇兄弟俩胖胖的,面团团如无锡大阿福，和善而有趣。两位都是我国装饰艺术大师,光宇曾任中央美术学院实用美术系教授,正宇曾任中国青年艺术剧院舞台美术设计师。两人又都为动画片《大闹天宫》作人物造型和背景设计，成为最富民族气派的中国美术片经典之作。

光宇晚年中风,不良于行,居家无事,与民间工艺和家乡无锡的传统泥塑为伴,朝夕玩赏。正宇晚年以画入书,书法有金石气,并以“猫翁”名于艺术界,他用焦墨、浓墨、淡墨画成的猫,各尽其态,无不精妙,如今成为收藏的珍品。曹涵美后来从上海回到无锡家乡，除早年画过金瓶梅插图,不曾听说他再画过别的什么。

决澜社

守 三

二十世纪三十年代初，上海有一批青年油画家仿法国沙龙组成创作团体决澜社，社长是从法国学画回来的庞薰琹。主要成员有倪贻德、阳太阳、段平右、周多和女画家梁白波等。决澜社以油画创新自命，在艺术上宗法国后期印象派大师，如塞尚、雷诺阿、莫奈、凡高、高庚等等。笔者见到过倪贻德和梁白波的人体习作，无不透露出近代人体大师雷诺阿的影响。而决澜社成员的静物和风景画，则处处可以看到塞尚、莫奈的风范。借鉴西方，形成自己的油画风格，这便是决澜社的艺术宗旨。

决澜社是中国早期的西画团体之一，活动时间虽不长，但在西画界的影响却不小。沪上西画家的精英，几乎都参予了决澜社的沙龙活动。庞薰琹是中国图案画的前辈，画风俊逸，曾任中央工艺美术学院副院长，在教学中融通中西，培养了不少装饰画方面卓有成就的年轻画家，中国近年许多大壁画多出他们之手。倪贻德长期从事美术教育工作，画风沉雄，桃李满天下，许多新进的油画家多出其门。阳太阳画风清雅，抗日战争时期主持过广西的美术工作。梁白波是才华横溢的女画家，她的油画，用色变形，都极有特色。他们略晚于徐悲鸿、刘海粟、林风眠，都是早期把西洋画引进中国的先驱。

上海——月份牌年画创始地

赵而昌

月份牌年画在我国的发展不过百年，自上海开埠，舶来商品大举来华倾销，才有月份牌画。有平版照相印刷的输入，才为大量印制月份牌年画具备条件。它与天津杨柳青、苏州桃花坞鼎足而三。虽崛起晚，但印数大、发行广，称得上是后起翘楚。

上海辟租界后，外国资本家在沪广设洋行。为要推销商品，必得找一种为我国人民喜爱的广告赠品，以广招徕。他们最早从本国运来西洋美女、风景片，后来才发现把寓意吉祥的中国传统画——当年作历本、越年还可欣赏，以之用来推销商品，影响持久，效果最好。当时第一个被外商物色到的画家叫周慕桥。周，苏州人，最早专为洋商画洋布牌子。外商叫他画美女，一张画代价四十至五十两银子。把作品先到国外去制版，印好了再运回上海，分送中国用户，果然极收宣传之效。

继起者为郑曼陀。曼陀生于光绪十年

(1884),原名郑达,最早在杭州“二我轩”照相馆画人像。“二我”者,意为画中之我,神态栩栩,与自在之我,无分轩轾。郑画不尚线条,但层次柔和,有立体感。果然画得很“活”,却得不到杭人的赏识。后来他把作品拿到上海“张园”来张挂,为中法药房黄楚九看中,选购四幅做广告,声名才扬。一时上海商务印书馆、中华书局、三友实业社、华成烟草公司等纷纷向他订画。外商英美烟草公司甚至拟月给五百元高薪,聘他专为烟厂作画。郑知此乃外国资本家垄断美术人才、使之不能为华商作画,用心险恶,不为所动。人说他全盛时,有收“定银”至三年后者,誉他是年画中的梅兰芳。

后于曼陀的年画高手,有谢之光、何逸梅、杭穉英、金雪尘、李慕白、金梅生、杨俊生等,其中好几位是上海文史研究馆的馆员,我都与他们熟悉。

连环画最早叫“小人书”

赵亦昌

连环画最早叫“小人书”。古装者衣冠袍笏,人称“菩萨书”。我们绍兴人叫画图画为“画花头”,故叫连环画为“花头书”。我幼年最早见到的连环画是世界书局的《三国演义》、《水浒》,油光纸单面印，十几页订一册。六分之一天头印说明，六分之五地位画人物布景。人物脚边注名字，对话写在口边吐出的二条线里，连续性强。无怪“八一三”时期租界里百业萧条，惟独弄口小人书摊生意蛮好。

那时节，国产电影已打开局面，画商们据电影故事画连环画。为要出得快，就叫作画的先到头轮电影院看电影——当时新片先在头轮影院如大光明、南京(今上海音乐厅)戏院等上映，过些时再转到二轮如巴黎(今淮海)等，再为画家在旅馆里开好房间，日以继夜赶画。果然，电影还没从头轮转二轮，而连环画倒已出版了！当然其粗枝草率是免不了的。业内人就称这类书叫“跑马书”。

最早画“跑马书”者，有周云舫。周本人天资不薄，再加其父从事月份牌画印刷，云舫耳濡目染，也就懂了些人物、色彩的门径。所画作品，备受欢迎，成为当年连环画的红人。可惜的是为了生活，在画商的催迫下，日夜作画，精力不继，染上鸦片、白粉，三十六岁就离开人世。

曩年，京剧有“四大名旦”、“四小名旦”。连环画亦然。四小是谁，已不全知。四大者，赵宏本、陈光镒、钱笑呆、沈曼云是也。曼云早逝，我未及见。赵宏本则出手不凡，早期如《扬州十日》、《天堂与地狱》、《史可法》等，从书名就可知他以画笔作武器，落笔谨严，从不泛泛。他与周杏生等合作的《桃李劫》，曾被社会局借口讽刺国民党当局，不予通过，后经偷改书名，才得许可。

旧时同业还有“连环画小说改进研究会”的组织，会址在旧法租界黄金大戏院后桃源路弄堂房子的客厅里。名曰研究,实乃“茶市”——交换书册的市场。每当下午,书商们手拎肩负,来此交换。平日调剂,月底结账。那时节新书印数不过一千部，好的也至多一千五。由于物价不稳,故市场交换,是以页数为计算单位。

钱化佛与“佛化钱”

江石邻

画家钱化佛,以画佛著称。钱老多才艺,并善于社交。他很早演过“文明戏”。文明戏在中国是先于话剧。后阶段钱老留起长须,专心画佛,特别喜欢画无量寿佛。

钱老曾经说过一句有趣的话:“画家必定穷,笔一停就穷。”可能为此,他以勤笔多产取胜。“钱化佛实是佛化钱”这句妙语,有人传话于他,他微笑首肯,认为是人们对他的美好颂意。

尤小云"空房花烛夜"

江石邻

画家尤小云，由老画家张石园从家乡常州看中，收为门生带来上海，并定居于张家。

数年后，尤随老师学得一手"四王"山水画，老师得意之下，竟将自己外甥女许予尤小云。生活依赖于张石园的外甥女母女，不敢违抗，答应了下来。至于办婚事的房子、费用等亦全部由张石园老先生一手包办。

当年还不时兴"自由恋爱"，所以虽然外甥女从内心不欢喜尤小云，也终因这是长辈作的主，不敢表露反对。甚至结婚当天，也仍然照样梳装打扮。直到夜晚发觉人去楼空，方知新娘不辞而别。弄得张老先生目瞪口呆，懊恼万分。

刘开渠的初恋

王映霞

1933年春，我和郁达夫已将家搬迁到杭州。不久郁达夫的学生刘开渠亦从法国学成归来，受聘于西湖艺术专科学校。当他得知郁达夫在杭州,便专程来探望老师。

我曾听郁达夫说起他的这位留法学生的一些情况,后见其人,果然与郁达夫说的一样,本分而不善言辞,常常是你问一句,他回答一句。这在我所接触到的那些留洋归来的学生中还不多见。

可能是大家都在杭州的缘故,刘开渠只要有暇,经常上我们家坐坐,吃顿便饭。这样我与他也渐渐熟悉起来。一天在闲谈中,我问他有没有女朋友?他答:没有。我又问,想不想要女朋友。他不好意思地点了点头。于是我便将我的同学、浙江民政厅厅长阮毅成的表妹佘英介绍给他。也许是初恋,加上他又不善言辞,所以对谈恋爱既新鲜又紧张。

不知什么原因,刘开渠与佘英最后分了手,后来与他的学生程丽娜在武汉结为伉俪。说来也巧,他俩结婚的那天,我和郁达夫也恰在汉口。那天刘开渠特意来我们家,请郁达夫和我作他们的主婚人和证婚人。由于当时我和郁达夫正闹着纠纷,心情不好,因此我没有参加他们的婚礼。郁达夫是单独前往祝贺的,并且做了他们两位的主婚人。

关良和他的戏曲人物画

周楚江

关良先生早年留学日本，他的油画受著名印象派画家卢梭的影响，以追求趣味为主，所以人物水墨画也体现了这一独特风格。戏剧人物水墨画在中国画中无此先例，应该说是由关良先生创始的。解放后有些画家也相继画戏剧人物，但风格各不相同。

关先生曾在他写的一篇文稿中提到“中年期间，我从日本回国，在上海美术学校任教”，此时大约是 1939 年左右。当时我在该校西洋画系学习。一般下午课后，关先生常来我住的宿舍(与我同住一室同学中有几位戏迷，其中有程十发)，吊嗓唱京剧或拉京胡。我记得他经常唱的是《四郎探母》坐宫中的一折。关先生唱戏很认真。他原籍广东番禺，说话中带有广东口音，但在唱腔中却全无地方味。而且他京胡也拉得很好，常给十发夫妇操琴。他曾给我画过几张屏条。

太平洋战争前夕，关先生离沪去西南后方，也画了不少戏曲人物水墨画。当时郭沫若、老舍等人曾在他的画上题款欣赏，肯定他的水墨戏曲人物画的成就。

解放后他任教于浙江美术学院，在此时期

常往返沪杭两地。为了创作,需要结交较多的京剧演员,尤与盖叫天交往甚深。戏与画不是同行,但由于二人艺术见解和修养相近,他们有很多的共同语言。

1960年左右,关先生去民主德国访问讲学,在德国美术界影响较大,并在德国出版了画册。回国后,上海电视台请他摄像,他提出要拍摄他与上海京剧院院长周信芳一起探讨京剧人物表演的镜头。当时我在上海京剧院任舞美设计,曾由我伴同周信芳院长去建国西路关先生住处录制这段记录片。

美商“亚细亚”影片公司

高梨痕

1909年美国影人宾杰门·布拉斯基在上海开设“亚细亚影片公司”，但因业务开展不佳，不久转让给美商伊什尔接办。

当时，上海的“文明京戏”《黑籍冤魂》正在英租界“丹桂茶园”上演。此剧由著名京剧演员夏月润、夏月珊兄弟两人主演，轰动全上海。其时，全国正兴起了禁吸鸦片烟运动，而《黑籍冤魂》正是劝人戒烟的好戏，所以久演不衰。后此剧又在城内新舞台上演。美商伊什尔看到这本文明京戏情节好、观众多，想把它改拍影片，于是中外合作的电影事业从此开始。伊什尔找买办经营三相商,请他与上演此剧的新舞台接洽。由于经营三是上海最早的话剧社——“民鸣新剧社”的老板,与该剧社经理张石川、剧社主任郑正秋商量,托郑与夏月润兄弟接洽。虽因报酬没有谈妥而未成功,但伊什尔与张石川、郑正秋却从此合作,由郑编剧、张导演拍了几部滑稽片。演员都是“民鸣新剧社”的人,如钱化佛、张利声、郭咏馥、胡根生等。

张石川本来不会导演,但因懂英文,能领会伊什尔在剧场的指点,而且看过外语影片,又常看新剧社演员的表演,所以导演电影尚可应付。后来因伊什尔所带的电影胶片拍完,一时又买不到,加以所拍影片营业不佳,从而“亚细亚影片公司”就告结束。

商务印书馆曾拍过电影

高梨痕

1916年前后,上海商务印书馆照相部拍了一些名胜古迹的风景片,后来又拍过故事片。如根据《聊斋》故事改编的《孝妇羹》,还有《爱国伞》等。当时商务印书馆的照相部设备完善,有玻璃棚、有灯光、有好的机械和摄影人员,有较佳的拍摄影片条件。但由于电影事业初创不为人们所重视，印书馆中有些董事也认为电影是游艺事业，“不登大雅之堂”，与商务印书馆的教育文化事业不相称，终于停拍了。

明星影片公司

高梨痕

“明星影片公司”的创办人张石川和郑正秋，曾从事新剧(即话剧)活动。郑正秋既是新剧创始人之一，又是当时有名的演员。

“明星公司”的前身是“大同交易所”，因交易所失败，只剩下几千元资本，张、郑征得股东同意，就用这几千元成立“明星影片公司”。起初开拍《孤儿救祖记》，景况相当困难。公司设在马霍路(现重庆南路)崇仁里一幢一楼一底的石库门房子内，也是郑正秋的住家。“明星公司”的全部设备，不过是几十块布景板和门窗，一块白布天幕和地板，还有几块用锡箔糊的反光板。摄影场就在崇仁里弄后面的一块空地上，临时搭搭布景而已。

公司的主要演员有：郑鹧鸪、郑小秋、王献斋等。王献斋演反派角色极为传神，他原来是一个眼科医生，业余时间才来拍片。其他的业余演员，也都是有职业的，他们都是电影爱好者，不讲报酬，只取少数车马费。有些布景工人因为是

张、郑开设的“笑舞台”的工人,也是义务劳动。甚至有个工人姚彭川,因搭布景没有圆钉,竟脱下衣服去典当,然后买回圆钉搭布景。《孤儿救祖记》就是这样众志成城拍成的。放映后大受欢迎,一炮打红,在南洋一带上映不衰,卖得好价钱,给中国影片打开了一条道路。

《孤儿救祖记》影片不但救活了一个“明星公司”,也给上海电影事业起到很大的鼓舞作用。之后就有“民新”、“联华”、“大中华百合”、“神州”、“友联”、“长城”、“慧冲”、“东方”、“艺华”、“开心”、“昌明”、“大陆”、“大中国”、“大华”、“金龙”、“孤星”、“天一”等等,影片公司如雨后春笋般树立起来。

六合影片营业公司

涂碧波

六合影片营业公司,是一家影片联合营业的企业组织,自己不拍片,由明星、大中华、神州、民新和上海五家公司联合组成,于1925年开办。总经理是明星的导演张石川,明星经理周剑云任经理,大中华股东吴性栽和民新股东李应生为顾问,其余公司的代表任协理。周剑云又兼任六合公司委员会的主委,独揽大权,所有财务、出纳等员工全是他手下的人。

六合公司开始拥有不少名牌影片，营业相当旺盛,所得佣金、利润也不少。后来因神州、上海两公司本身陷入经济危机,先后退出,继由友联、华剧两影片公司加入,六合得以维持营业。两年后,大中华和民新逐渐倾向联华影片公司,六合难以维持,于1929年宣告解散。当时,在原址改组成立华威贸易公司,由周剑云主持,并邀请青岛片商卞毓英、汉口片商王梦萍为协理,雇一名白俄技术人员制造电影发声机,取名“四达通”,由徐欣夫管理。不久,终因人事问题而歇业。

六合公司有过一些什么活动呢?

1.编印过大型杂志《电影月报》,由沈浩编辑,沈延哲为国画编辑,徐碧波、周剑云、管际安为理事。内容除宣传本公司各单位的影片预告外,还介绍名作家的作品,如洪深、田汉、袁牧之、欧阳予倩、顾仲彝、宋之的、李健吾等的艺术论文和剧本,徐悲鸿、张聿光、但杜宇等的绘画,郎静山的摄影,质量都很高。因为发行工作没做好,加之内部分歧,出到12期便停刊。

2.六合将一间会客室供洪深作话剧活动。洪深在此自办“剧艺社”,曾编导《赵阎王》五幕反帝反封建话剧，在海宁路的中央大戏院上演三天。后因票房收入不敷开支，洪深只好将所译《西线无战事》的小说版权,售给六合公司抵账。

3.周剑云曾和菲律宾片商协定,在马尼拉开办一家中国电影院,派徐欣夫任经理,由六合的五家公司各出一部影片作为资本。结果,不到一年，资本统统蚀光，徐欣夫回来也不报账，由周剑云在会上报告一下失败情况，大家默不作声而罢。周剑云曾向开心影片公司购进《三哑奇闻》的拷贝，也赚过不少钱，但到六合闭门后，这个“奇闻”的拷贝却不见了。这样经营电影事业，哪能不失败。

我国第一台进口电影放映机

陈尧甫

1905年端方等五大臣赴美考察，在美国购回电影放映机一台及有关教育、工业影片多部，以便进贡西太后，这应算得上是我国有史第一台进口的电影放映机。不料唐绍仪所荐的放映员何某在开箱检查时，由于技术不精，动错了部位，将一寸多厚的瓦斯钢管碰坏爆炸，除机片同毁外，何与在旁之助理员姚广顺亦同时毙命。

周璇拒当电影皇后

王映霞

一提起中国电影皇后，人们立即会想到胡

蝶;但胡蝶并不是第一届影后,任第一届影后的是张织云。

1925年秋,上海新世界游艺场发起选举电影皇后活动,初选结果得候选人十名,胡蝶名列第九。再次复选,以张织云为电影皇后,胡蝶落选。

1941年,上海某报再次发起选举影后活动,周璇当选,但被婉言谢绝。她在报上发表了一则启事:"顷阅报载,见某报主办的1941年电影皇后选举揭晓广告内,列有贱名。顾璇性情淡泊,不尚荣利,平日除为公司拍片外,业余惟一以读书消遣,对于外界情形极少接触。自问学识技能,均极有限,对于影后名称,绝难接受。"因此,她没有去参加影后加冕典礼。

我主演过五部电影

华香琳

抗战胜利后第二年,我从汉口来到上海,原仍打算将我的京剧艺术,贡献给上海观众。朋友中有人怂恿我拍电影。这时韩兰根主持的华光影片公司刚成立,拍第一部影片《从军梦》,因资金不足而搁浅。在电影演员李丽华姊夫姚一本从中介绍、奔走联系下,有几位太太为捧我投身银幕,乐于投资拍片。于是,《从军梦》女主角人

选,很自然由我担当下来。虽然这工作在当时对我是陌生的。但我想事在人为，只要有决心去学、去钻研,没有做不成的事情。

《从军梦》由被誉为“东方劳莱”的韩兰根导演兼主演,主要演员还有“东方哈台”殷秀岑与关宏达,他们都是观众喜爱的喜剧演员,拍过大量影片,积累有丰富的电影工作经验。他们对初出茅庐、刚开始拍电影的我,尽到了辅导与帮助的作用。当时,我的国语(普通话)不够流利,何剑飞尽了最大努力指导我。还有吴文超、傅威廉等对我帮助也很大。

《从军梦》的第一个镜头,是在大庭广众间,我站在讲台上演讲的一个大场面。台下座无虚席,其中还有好几位是著名的演员。顿时,我的心竟大跳特跳。幸亏我尚能控制自己,把紧张的情绪镇静下来。大着胆按照剧情的要求,在一声“开麦拉”命令下,走上讲台,不慌不忙把一段募捐的台词演讲出来，顺利完成我拍电影的启蒙镜头。令人满意的是《从军梦》从开拍到摄制完成,我没有吃过“NG”,浪费过一寸一分胶片。

《从军梦》大功告成后公映,卖座很好。拷贝出国去映出，华光公司有了盈利，也奠定了基础。

我拍的第二部影片,是与吕玉堃合作的《夜莺曲》。当时有新时代影片公司邀我与王丹凤、严俊等合演、裴冲导演的《夜来风雨声》。还有华星公司邀我与于素秋合作主演,由叶逸芳编剧、吴文超导演的《双枪女侠》。我的第五部影片是东华公司邀请我和乔奇合作的《说谎的丈夫》。编剧和导演都由叶逸芳担任。记得有一次，在拍摄此剧中有一段戏，我没能准确地演好，叶逸芳就不厌其烦地给我排练多次，他这样认真负责的对待艺术，至今我还记忆犹新。

当时“一片公司”很风行。“一片公司”者，就是临时凑起资金，借大公司摄影棚进行制片，演员酬劳也以股金计算。我所拍的五部影片，都有不同程度的盈利，对人对己都堪告慰。

金焰提抗议

涂碧波

明星影片公司总经理张石川，在公司里大权独揽。有一天，金焰率领联华的篮球队到明星的场地里去比赛。因为事前没经张石川同意，在开赛后张竟亲自上前去阻挠。金焰不服气，提出抗议，而张竟予以驱逐；金焰时正年少气盛，提出强烈抗议，和他争论；双方势均力敌，几致动武。幸郑正秋闻讯赶到现场，居间调解，金焰才率队悻悻而去！

但杜宇戏院泄愤

涂碧波

1930年2月21日,洪深因大光明上映辱华影片罗克的《不怕死》,经过抗议,该片才停映。当时,尚有一家同映《不怕死》的光陆大戏院(解放后改名曙光剧场,地址在圆明园路),第二天仍照常开映。这就激怒了上海影戏公司主人但杜宇。他一面用"明夫"(殷明珠的丈夫)名义的支票,开了一百元赠给洪深作诉讼费,另外暗地里再给光陆大戏院一个严重惩罚。他集结了公司里具有正义感的职工,在22日夜场上映时,用小刀将一部分纹皮椅子割破,变成了"大花脸"。该院受损不少,情知众怒难犯,只得被迫停映。当时知其事者都绝对保密。如今揭破这个哑谜已事隔六十多年了。

郑君里改名

涂碧波

郑君里原名郑千里。1931年由一位姓侯的

进步人士介绍给友联影片公司担任《江南燕》主角。不多久他自找出路转入联华影业公司，改名郑君里，受孙瑜编导的培养。第一部片子就和金焰、王人美合演《野玫瑰》，时为1932年。后来又主演《共赴国难》，合演了《大路》、《天伦》、《迷途的羔羊》诸片，就在这时和蓝苹相识，时在1936年。郑君里在电影艺术上逐渐精进之后，1947年转入昆仑影业公司，和蔡楚生联合编导了《一江春水向东流》，1949年编导了《乌鸦与麻雀》。谁知后来在十年动乱中他含冤去世，竟会演成一出大悲剧！

毛剑佩自杀

涂碧波

1925年陆澹安、严独鹤创办新华影片公司，第一部影片《人面桃花》的女主角毛剑佩，是京剧著名演员毛韵珂的女儿。因为毛韵珂反对女儿去拍电影，甚至闹到把她幽禁起来。她家是住在嵩山路沿街的，所以有人走过她住房楼下时，常常会听到婉转凄凉的琴声。后来终于走上了自杀的道路。当时，电影界失去了一位有姿色、有才艺的女演员，深觉痛惜！

房山石经

朱龙湛

河北房山在周口店西南，距北京约七十五公里，旧名“小西天”。相传公元六世纪隋高僧静琬恐经卷日久湮灭，发愿刻造石经。并以房山峰峦耸秀，开凿岩洞，作为藏经之所。

其后累代相承，延续约近千年，直至明末。所刻法华、涅槃、华严、般若等佛教重要经典，均刻成碑版，贮藏在所凿岩洞及山下云居寺之压经塔下。据说“小西天”有九个岩洞，其中八个是封锢的，惟雷音洞敞开。这个洞又叫千佛洞，是就天然的崖石开凿的方洞。四周洞壁镶嵌石经碑版一百四十五块。书法端秀,相传为静琬亲手所刻。洞内有四根八角形的石柱,每根柱上都有各种形态的浮雕佛像。前二柱各刻佛像二百七十二尊,后二柱各刻佛像二百五十六尊。洞的中间又有一尊唐代雕塑的石佛。

解放后,我曾受黄炎培副总理之嘱,于 1956 年 5 月参与协助中国佛教协会对房山石经进行部分调查、发掘、整理和重新拓印。据不完全统计,仅九个岩洞存藏石经版即有四千一百九十二块,每块长约三米,宽八十厘米,共刻佛经数千卷。

另外云居寺的压经塔下所藏经版较小,约有七、八千块。我国失传已久之《胜天王般若经序》亦在此发现,由此而订正日本《大正藏》所载经序脱讹凡二十字。书体秀挺,颇类《龙藏寺碑》。此为五十年代我国碑版史之一大发现,亦为继龙门石窟之后的大发现。这是非常宝贵的一批珍贵文物。如能正确地利用这一批碑刻,不但可以校正历代印行的佛教典籍及《大藏经》的讹误,而且还可藉此研究隋唐以来哲学观点和书法变化及其有关的历史背景。

靖江岳王庙碑文

钱悦诗

江苏省靖江县的岳王庙，相传为当年岳飞南渡时，靖江人民感恩怀德，为岳飞建生祠，镇名“生祠镇”，镇有石桥名“恩岳桥”。今当地群众称生祠为“岳王庙”。

经历了几百年沧桑的岳王庙，抗日战争前已毁坏不堪，经邑人刘国钧先生(解放后曾任江苏省人民政府副主席)捐资重新修建，并求书法和碑文于先父钱名山先生。先父慨然允诺，即书高达一米有余的“精忠报国”四字。当时我侍奉在侧，见先父挥毫落纸一气呵成，气势磅礴。书后，先父说“若有神助”，甚为得意。先父又为撰写《靖江县生祠岳忠武王碑文》。碑文共刻石碑八块，每块高二米，阔半米。据说十年浩劫时期石碑藏于墙壁隔层间，幸能保存。而岳王庙和岳飞塑像则毁坏了。

1987年，国钧先生长女璧如又出巨资修建庙宇及塑像，并邀我一同参加揭幕典礼。新修建的岳王庙，雕梁画栋，飞檐翘角，蔚为壮观。

齐侯罍

周退密

齐侯罍亦称齐侯女壶，为宇内著名周代器之一。原藏苏州著名收藏家曹秋舫（名载奎)之“怀米山房”,后归苏州吴平斋(名云,浙江归安人,侨寓吴门)。吴氏始得此器时,颜其居曰“抱罍室”,道州何子贞(绍基)为书榜额;继而吴氏续得另一器,易其室名为“两罍轩”。

距今约七十年前，其先得之器归予先从伯父周湘云(器价按器重以黄金计算,约在银元万元左右),何书“抱罍室”纸本真迹随器同至周家,予均得见之。1950年,堂兄周昌善因积欠税款,筹款交纳，此器乃以旧币五千万元售与上海市文管会。文管会得此器后,又从吴氏后人处以同值购得另一罍,其后两罍调往北京故宫陈列。延津剑合，深为两罍庆得所；惜何书匾额留在周家,毁于“文革”劫火,为可惜耳。

齐侯罍以铭文字多,书法优美为世所重。拓本有曹拓、吴拓、周拓三种。两罍全拓流传于世者多出曹、吴二家,有两家藏印可资辨认。周拓只一种,出能手王守仁之手,予原有一纸,后赠与李亚农同志。今日想来，亦当以吉光片羽视之。

何子贞谈齐侯罍

周退密

金石考据为专门之学，非熟于经史，不能道其只字。余前记“齐侯罍”，谓亦称“齐侯女壶”，关于此点，已茫然不记出于何人之说。顷间，无意中发现一段札记，所记竟为何子贞(绍基)关于“齐侯罍”的考证，大概在为周家出售齐侯罍与博物馆时所录以备忘者，兹用浅显文字述何氏原文大旨如下：

齐侯为齐景公(公元前 547—490 年)。景公有女孟姜，嫁给陈桓子名叫无宇的为妻子。后来孟姜死了，景公为了纪念女儿，以礼机待，造了这个酒器送给陈桓和他儿子。

玩索何氏的说法，此器不能属诸齐侯，但同时也不能属诸陈氏，因之，当称为“齐孟姜壶”。所以拙文中称之为“齐侯女壶”。

何氏又说，凡是铜器有雷云状花纹的都可称为“靁”，不特此器为然。

张鲁庵与“鲁庵印泥”

高式熊

张咀英(1900—1962),名锡城,号鲁庵,浙江慈谿人。从小爱好篆刻,拜书画篆刻前辈赵叔孺先生为师,艺术突飞猛进。又不惜重金收购各种名贵印谱,如以纹银八百两购入吴湖帆藏、陈簠斋原拓海内珍本《十钟山房印举》,都一百九十二本;及《顾氏集古印谱》、《松谈阁印史》等。收藏历代玺印及明清各流派代表作原印;编拓《黄牧甫印谱》、《鲁庵印选》、《退庵印寄》;又摹刻散见于各印谱及书画之邓完白刻印,成《鲁庵摹完白山人印谱》两册。

鲁庵又讲究篆刻工具。选用优质钢材自制篆刻刀,亲自制作钝角方柄,用琴弦紧札,再加生漆,可称独创。

时艺林推重漳州魏丽华印泥, 独鲁庵以为尚可改进。遂从调查研究入手,重金购买名贵印泥,加以分析,终使制成的印泥,色泽鲜艳,冬夏不变质,最冷天气亦不凝滞,质地细腻,即使极细的朱文亦能丝毫毕显。鲁庵一丝不苟精神,使市上产品无法与之竞争。

1942 年,我得叔孺先生介绍得识鲁庵。他知我在学习刻印,即以所藏印谱四百多种,分批借

我研读，对我帮助极大。1956年我又与鲁庵合编成《张鲁庵所藏印谱目录》四卷，印成写刻本二百册左右，供收藏家参考。

《青卞隐居图》惹起大风波

张惠民

上海博物馆的许多藏品中，有一幅被董其昌称为“天下第一王叔明画”的《青卞隐居图》。此画当年的收藏者曾因此画而险遭杀身之祸。

“平等阁主”狄平子的父亲，生平爱好文物，所藏古画中，这幅《青卞隐居图》及另一幅宋人画《五老图》，屡见著录，向不轻易示人。同治初年，狄父宦游南昌，有王霞轩者来江西当按察使，欲夺《青卞隐居图》不得，而怀恨于心。戊辰(1868年)，狄父实授都昌县宰，当地民风剽悍，恰有两村械斗案起，不听弹压。王霞轩乃藉词委道员用重兵驻昌都境内，甚至要加乡人以叛乱之名洗荡村舍。经狄父力争，王乃嘱道员托辞谈判，意欲得《青卞隐居图》，方可解此厄难。狄父觉得杀身并不可畏，因不甘心使这名迹任人豪夺，但又不忍为了一幅画而杀戮许多无辜的人民。权衡轻重，经再三情商，改以《五老图》相赠，事才平息。

又按当时向例，境内如有军事，一切供应皆

要县宰负担。所以为了这幅《青卞隐居图》惹起风波，所费在数万金之多。

《青卞隐居图》历来为大藏家如项墨林、宝贤庵等所秘玩。上海解放时，画为魏廷荣所藏。1951 年我曾与潘天寿、贺天健老师等专程同往观览，并曾数次临抚。1975 年再次在上海美术展览馆举办的《宋元明清藏画展览》中看到，时已由上海博物馆珍藏。

锺繇《宣示帖》真迹已失传

任书博

1949 年解放后，我师吴湖帆先生曾收得锺繇《宣示帖》手卷真迹。当时前段已霉损无踪，仅有后段元明人题跋真迹尚存。据出让者说，此卷当抗日战争时期藏于地下，1946 年胜利后始从地窖取出，已霉烂不堪。为此吴老师将其收藏之唐代旧笺出示，嘱余按故宫所藏宋本《宣示帖》影印本用双钩摹成，以存其全。并将历代藏印，按各不同时期不同印泥摹成，有水印、胭脂印、朱砂印等等。其后并将钱镜塘君所赠之旧拓锺繇《荐季直表》装于后，最后接上元明人题跋，裱装完成全卷。吴师并嘱余将乾隆御题“法书鼻祖”四字钩填裱装于卷首。吴湖帆老师特地在题跋中点出“成其事者任弟书博……”云云。

故宫所见象牙与田黄石

邵琯飞

1924年，北洋军阀直奉战争时，冯玉祥自喜峰口班师回京，“请出”了占居故宫内的退位清帝溥仪。于是这长达八百年历史的故宫，才归属于当时的民国政府，并成立了故宫清理委员会。翌年，故宫博物院分三路开放，供人民参观。东路字画较多，西路包括御花园等，而中路是什物鼎彝。故宫开放后，我在参观中路时，印象最深至今难忘的是象牙与田黄石两件珍品。但见一间二十余平方米的屋子里，陈列着三个三四尺宽的抄手架子。每只架子上下层次有六对抄手，每对抄手上横摆着一根整的象牙，共计十八根，都是从活的大象口里拔下来的“血牙”。另一室内，仅摆了两张桌子。一张桌上置陈三块田黄石印，约二三寸见方。而另一桌上只放着一块近尺见方的大田黄石印，印纽雕凿的文彩极为精致。我当时看得呆了，久久不愿离去。田黄石出土极少，是印章中之珍品，有“二两黄金一两田黄”之说。而今竟有如此巨大的完品，诚为稀世奇珍。1940年我又去故宫参观，已不见两物陈列。

上海所见金银货币之源流

宋小波

上海藏金之富甲于各省，十两大条、一两小条所在皆有。民初以来新铸尤多，并铸有一两小金元宝，早期中国金元宝实无所见。清丙午(1906)、丁未(1907)两年虽铸有一两金币，名曰大清金币，但此是样币。新疆省亦铸有饷金二钱、一钱。厥后袁世凯任总统时铸有廿元、十元金币，及称帝，复铸有洪宪年号十元金币。山东省于民国十五年(1926)亦造廿元、十元金币，此项金币极为稀见。抗战时期，国民政府在重庆铸有五两、十两金条，其制作摹仿古代泉布，有文字，书法隶体，有铸造年月。想此类泉布必已熔化无遗。

我国为银本位国家，所铸金币大半纪念性质或系样品。至于银元宝铸造甚多，但有年号者亦不多见。清咸丰六年(1856)上海县商号王永盛、郁森盛、经正记三家铸有一两及五钱银饼，两面均有文字，制作甚精。但其时正值银根紧急，故所铸不多。现在此项银饼已成为稀品。

我国用银向以“两”为单位，迨后用银元，系来自西方者，通称“鹰洋”，即墨西哥银元；称“班洋”，即西班牙银元。此两国银元质量微有不同。

后来自造银元，即采取墨西哥银元为标准，库平七钱二分；并铸有辅币。铸造成分以湖北省者为最佳，江南诸省次之，其余各省亦均有铸造。从此墨、西两国银元无形中消失矣。

上海虽非造币之区，惟收集近代货币实从上海发端，因是藏家云集，奇货百出。虽然我国用银时期较短，不意竟亦洋洋大观，统计银币近千种，铜币近万种。西方人士已认识到中国所铸银币与铜币将来价值定可与国际货币并驾齐驱，且稀见之币更可与古币同样为人所重，故不少外籍藏家锐意搜罗。西人依康曾任我国造币厂顾问，寓沪时酷嗜我国银币，故藏品极多并有著作，现此人已回国。我国居沪好古人士亦喜爱收集银币，如慈溪陈仁涛，渠本以藏古泉著名，可是所藏银铜币尤称精美。渠藏已由中央人民政府收购。其他如上海施干嘉收藏亦夥，著有《中国近代铸币汇考》，已印行。吴县蒋仲川搜集银币最早，著有《金银图说》，亦出版。蒋君现已物故，藏品解放后陆续流出，闻已为人民政府购入。

抗战时期黄金最为人重视，但银币亦非常需要。照平常时日每两黄金可兑百元，彼时黄金每两仅换卅余银元。有袁世凯头像银币俗称“大头”，价最高，一两黄金亦只兑得廿八元，尚不易到手，于此可见当日币制之混乱矣。

伦敦中国艺术国际展览会

宋小波

民国二十三年(1934)10月,国民党政府行政院决议选送中国古物艺术品去英伦,供国际展览,并于翌年先在上海外滩滇池路十八号旧中国银行预展一日,然后运英。按此次甄集古物运英展览,从表面看,似乎是展现优美之中国古代艺术,但事实上却含有政治与经济两方面的作用。盖民国二十五年即须改行法币制度,所有在民间银币均须收归国有,再熔化铸成大条运英,作为发行法币准备,又在香港组织平衡外汇机构,此事全赖英国支持,使人民坚信法币基础稳定,此其一;第二,就是英皇乔治五世银婚纪念,乔治雅好集邮兼爱中国古瓷,故借此展览作为庆祝英皇纪念,以结两国交谊。旋由两国遴选专家研讨展出品物。英国选派人员为台维斯,中国则是郭葆昌其人。英国藏家向来只酷嗜清瓷,尤其是康熙一代,如黑地五彩、黑地素三彩及康熙绘画五彩,如人物、花卉、禽鱼,惟人物最为英人重视,呼之曰“人马刀枪”。厥后,彩色瓷搜罗殆尽,复趋于“一色泑”,如豇豆红、宝石红、郎窑红、珊瑚红、霁红等,吾恐中国清朝康熙一代名瓷都已为英人收尽。迨晚近,始注意到宋瓷钧

窑、龙泉窑，渐及于宋代官、哥、汝、定四窑。英国专家台维斯对此四窑鉴定独精，可谓杰出者也。我国宋瓷之古朴，直追三代鼎彝，所以能邀外邦如此欣赏，断非寻常古物可比。故英国特遣派台维斯乘军舰来华选择，运英展览，以识者观之，其重点仍在宋瓷，计共选定一百余件，其他选品不过附属而已。在沪展览时已印有目录一厚册。迨伦敦展毕，复精印图书四册，并附有英文说明，后由商务印书馆出版。至运英展览各古物仍由英军舰护送回国，抗战时在重庆，后运至台湾。

瑞典太子来沪购买古玩

宋小波

瑞典太子某于1921—1922年间来华游历，并到上海。其时瑞典欲举办博物馆，须大量收购中国古物陈列，特派太子来沪选购。事为古董商李文卿所知，即先期联络藏家李木公、刘惠之合作。木公名国松，系李合肥(李鸿章)侄孙，沪居威海卫路花园洋房，因是利用其住宅布置古物，且向瑞典太子声称，古物乃李鸿章旧藏，使瑞典太子更坚信其古物价值。果尔，尽其所有为太子购归瑞典矣。闻此三人经营所得利润惊人。今二李作古，一刘尚存，刘晚境优裕，经济来源不外是发洋财。

中山陵筹建经过

唐渭滨

1925年3月12日，孙中山先生在北京逝世，中国国民党中央决定将先生遗体安葬南京，组成葬事筹备委员会主其事。以张静江为主席，宋子文、叶楚伧为常委，杨杏佛为主任干事，汪精卫、林森、于右任、戴季陶、孔祥熙、邵力子等为委员。

墓地由宋庆龄、孙科会同筹委会择定在南京紫金山中茅山南坡，占地面积二华里，墓道马路及沿路纪念建筑地约二千余亩，陵园全部面积除山峰面积外，约六千余亩，陵墓图案选定吕彦直所设计的图形并由他主持建筑监工。工程分两部分承包建筑。第一部分为陵墓、祭堂及一部分台阶、围墙、台前石阶。由姚新记营造厂以四十四万三千两包银承包，至1929年初完工。第二部分工程包括大门、碑亭、卫士室、甬道、围墙等，由陶馥记承包继续完成。

陵墓最主要的工程是钢条结构。所用钢条均系马丁炉制成并经河海工程学校检验。陵墓用砖，设砖窑烧制，每块侧面有“孙中山陵墓砖”阳文字样，砌成后也经工程学校压力试验。引水工程由工程学校水利专家李仪祉教授测定。

建筑过程中，施工进度因受当年时局影响，并非顺利。南京军政当局五易其人，国民党政府从广州派来监工人员也三易其人，再加器材运输困难等。但这一巨大宏伟的陵墓工程终于完成，供千秋后世瞻仰。

孙中山遗体安葬南京记略

唐渭滨

孙中山先生在北京逝世后，先用石膏拓下面模，遗体穿西装大礼服，殓入楠木棺，停灵于中山公园，各界人士前来哀悼者不绝于途。先生逝世次月(四月二日)移灵西山碧云寺，有三十多万群众，徒步送到西直门，还有二万多人继续送到西山。先生的灵柩即安放在寺内的普明觉妙殿。

1929 年 6 月 1 日由孙中山葬事筹备处将定制的铜棺用迎榇专车送到碧云寺，将遗体改穿蓝袍黑马褂，带白手套，移殓进铜棺中，换下的西装大礼服等件仍藏楠木棺内，筑衣冠冢于寺后的金刚室塔内，普明觉妙殿才改为孙中山纪念堂。堂中放中山半身像，左厢置苏联当年赠送的玻璃棺，堂内陈列先生生平的革命历史资料和图片。

中山先生的铜棺到南京后，停灵于丁家桥国民党中央党部大礼堂，揭起铜盖，内有一层厚玻璃盖，可以瞻仰遗容。奉安时仍将铜盖紧密盖上，安放在墓穴底层，上面有一具特选的意大利 Carrara 纹云石椁，椁上置有孙先生的仰面平卧石雕像，墓室为球状结构，前为祭堂，中为先生全身石雕坐像，四周有先生革命事迹浮雕，四壁刻有他的遗著《建国大纲》，为于右任等所书。

陵墓呈木铎式，墓室海拔 158 米，从紫金山下墓道入口，沿石级西上共 392 级，至墓室约 700 米。依次为牌坊、墓道、陵门、碑亭、平台，再上达祭堂、墓室。陵前一片祖国大好河山，背靠巍峨山峰，苍松翠柏环绕，气势磅礴，登临瞻仰，远眺江山，令人心胸开阔，益增敬仰前贤，热爱祖国的情感。

上海城墙

戴春风

上海城墙始建于明嘉靖三十四年(1555),史载“历时三阅月而工竣”。城墙周围九里,直径约三里,墙高二丈四尺。共有雉堞一千六百余个,敌楼两座。城濠长一千五百余丈,广六丈,深一丈七尺,环抱城外。当时设六个城门:朝宗门(大东门),宝带门(小东门),跨龙门(大南门),朝阳门(小南门),仪凤门(老西门),晏海门(老北门)。另设三个水关:东水关、西水关都跨肇嘉浜,小东门水关则跨方浜。咸丰年间(1851—1861)加辟障川门(新北门)。宣统元年(1909)、二年(1910)又加辟福佑门(新东门)、尚文门(小西门)、拱辰门(小北门),至此共有十个城门。拆除城墙工程则于民国元年(1912)1 月份开始,因须解决邻近当时法租界的外交问题及拆城地区产权地价等问题,延至民国三年(1914)11 月方告完成。

丁香花园

童玉民

位于上海静安区的丁香花园，是上海的著名园林之一，原是前清北洋大臣李鸿章为纪念其妾丁香所建。此园始建时间当在1862年至1865年李鸿章任江苏巡抚及署两江总督的年代。以后他在1866年任钦差大臣,至1870年任北洋大臣,忙于外交工作,就不再有时间来上海久住了。

丁香花园占地面积约四十亩,布局精致,天然清幽,雅俗共赏。园中清池澄液,亭阁嵯峨,绿树葱茏,遮天蔽日。奇石巧砌,玲珑晶莹。龙墙盘曲,昂首吐珠。池中喷水,消夏增凉。园中有一池、三亭、三桥连成一线,池面长约七八丈,宽六七丈,微波荡漾,水色碧澄,与周围白石绿树相辉映。池上观鱼,尤富诗意。

园内树木花卉,颇具特色。有丁香、月桂、松柏、香樟、红枫、黄杨、绿竹、垂柳。花有月季、牡丹、玉兰、石榴、菊花、茶花、杜鹃、绣球、茉莉、海棠,名花俱备。园内的白色条石特多,布置在池岸路边,或桥头树下,形状各异,很饶趣味。

进大门隔广场,筑有半圆形龙门二道,一通园内,一通宅第前广场。龙身蜿蜒起伏,龙尾近传达室,龙头左近水池,右靠草坪。龙口含明珠一颗,显露凶猛气势。

园内有小丘陵,上栽树木,可以拾级登临,一览园景。园的四周筑有围墙,多植冬青,自成藩篱。

园内楼房建筑于大门内东部,相当宽敞,为当年园主宅第。宅后有小楼,左设餐厅(即丁香厅),东南有悦宾楼,琴棋书画,一应俱全。游客在此活动,自得乐趣。

“天下第六泉”

朱龙湛

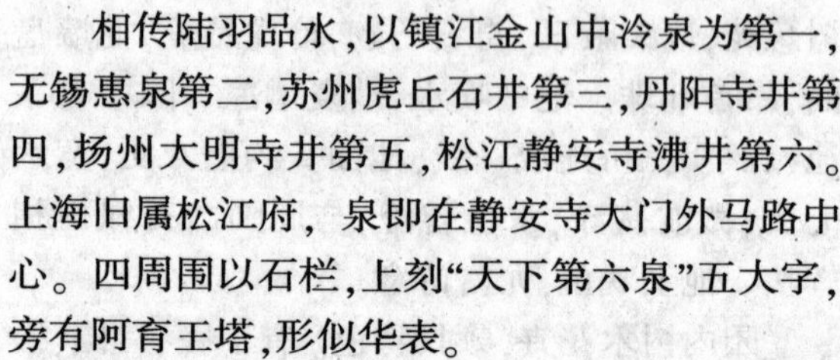

相传陆羽品水,以镇江金山中泠泉为第一,无锡惠泉第二,苏州虎丘石井第三,丹阳寺井第四,扬州大明寺井第五,松江静安寺沸井第六。上海旧属松江府, 泉即在静安寺大门外马路中心。四周围以石栏,上刻“天下第六泉”五大字,旁有阿育王塔,形似华表。

第六泉原在静安寺园内, 因开辟马路遂在寺外。原有东西二井,均昼夜沸腾,故又名“涌泉”,俗名“海眼”。盖其下有矿物质,类硫磺者,故然。英国人昔名静安寺路曰:“勃勃林威尔路”(Bubbling Well Road),亦即取沸泉之意。明贡师泰诗:“亭荒鸟雀聚,水古虹霓腥,初疑蟹眼沸,复似冰花零。”描述此泉沸腾之状，恰到好处。但据晚清人所记，所谓沸泉者，仅似鱼之嘘沫而已。我在三十年代，尚可见有小雨状之水珠可见。抗战后，泉亦不复沸腾，而将次干涸。解放后，有轨电车改道，泉遂废。

小万柳堂

朱龙湛

近人每谓上海为全国著名旅游点，而除豫园等数处外，甚少古迹可以游览。其实细按遗址，尚多不乏可以追索者。余家西首苏州河畔(今华阳路底)即有名诗人廉南湖(廉泉)的“小万柳堂”遗址，为清末民初旧上海沪西胜景之一。

廉于清末诗名噪京师，以部郎解职南返，托迹淞滨，筑室于曹家渡之西、吴淞江南岸，与夫人吴芝瑛偕隐于此。其地花木扶疏，垂柳拂堤，曲廊回环，亭榭点缀，风帆上下，如凭几席，隔岸有徐氏“小兰亭”及吴氏“九果园”，并擅园林之胜。南湖搜罗善本书籍及法书名画，罗列鼎彝，湘帘斐几，炉香茗碗，室无纤尘。芝瑛夫人亦日事染翰，所写《大佛顶首楞严经》、《妙法莲华经》、《鹣影楼唱酬诗》、《西泠悲秋图》(录鉴湖女侠遗诗遗稿)、《帆影楼纪事》及南湖《潭柘养疴》诸诗，皆成于此。

南湖尝东渡赴日，结识孙中山、徐锡麟等革命党人，在东京设笺扇庄，介绍中国书画，与彼邦书画界人士多有往还。归国后，日本名流岩谷修、小座圆次郎等来华，每至小万柳堂与南湖夫妇诗酒唱酬，觞咏竟日。南湖在日本曾辑印《扇面大观》、《扇面萃珍》，藏扇多为泰州宫梦弼旧物，自明文沈唐仇以逮清之四王恽吴，多精湛之作，印刷精美，为世所重。

小万柳堂易主后，曾由靳云鹏赎归赠还，廉泉不善治生，仍贫不自赡，夙逋累累，再行典鬻，一度拟让售于实业家荣宗敬。时荣方受世界经济危机影响，经营失利，是申新困难时期，因循未予援手，终致为他人所得。

徐园的变迁

郑逸梅

清末，海宁徐棣山为海上寓公，贸迁有术，拥有资财。他曾在唐家弄买了三亩地，浚泉堆石，植木栽花；又盖了些房子，如鉴亭、鸿雪轩、桐韵旧馆等等，堂庑周环，曲房连毗，称为双清别墅，俗称徐园。可是他有了一园，尚不满足，又在华山路别辟铭园，一称小西湖，有六桥三竺具体而微之胜。又在曹家渡，沿吴淞江筑水云乡，对江又辟桃李园，媲美李太白白乐天叙天伦，坐花醉月。旁有小兰亭,偏艺芳兰,中为一亭,旁开一涧,曲径绕之,逢到上巳,居然也举行修禊故事。

后来徐园搬到康脑脱路(今康定路)。那时徐棣山已逝世,年只五十八岁。他既林泉适性,花木怡情,应当享受大年,为什么中寿便死?原来他未尽天年,是死于非命的。那年春初,戚家请他喝春酒,他乘着自备的马车前去,戚家肴核既丰,酒又醇美,他醺醺有醉意,归来马蹄得得,斜照一鞭,不料车门没有关紧,在疾驰中他从车门下坠,受伤不治。

至于园林搬场,那是他的两位哲嗣徐贯云、徐凌云擘画经营的。因为唐家弄一带,已成为热闹市区,且地仅三亩,不能开拓,因把园林搬出去,在该地改建市屋赁出,可以获较高的租金,是很上算的。康脑脱路园址,占地十八亩,面积扩大了数倍,不可能完全照原样布置,只求轮廓差不多就好了。

春秋佳日,南社人士,曾在那里雅集,《南社丛刻》中有好几帧雅集照片,都是在那里拍摄的。园中时常举行菊花会、兰花会、梅花会、牡丹会;又有琴会、曲会。当年昆曲传习所即在此演出过。夏天有斗瓜之戏,择硕大的绿沉西瓜,在银刀待剖之际,猜黄赌白;并以瓜子的多寡,测其数,数相近者为胜。逢春节,特备一绢制方灯,四周贴着谜条,悬挂在鸿雪轩中,由一位海宁人徐美若主持谜政,射中的以书籍之类作为奖品。当时小说界耆宿海上漱石生(孙玉声),素有谜

癖，不仅历届参加，并在他所著的《海上繁华梦》第二集中，把园中的景色，描绘得非常细微，读了令人如身历其境。徐园经常开放，游客纳一毛钱，在此盘桓永日，游目骋怀，品茗话旧，的确是尘嚣不至的清静境界。

抗日战争以后，闸北难民无家可归，就把徐园作为收容所，人多嘈杂，煤灼烟熏，于是垣颓屋倾，不成其局。不久又不戒于火，虽经扑灭，然已毁去一部分，难以恢复，就索性把它拆掉，改建市廛。不是老上海，已不知徐园往迹了。

我与徐园

胡　嘉

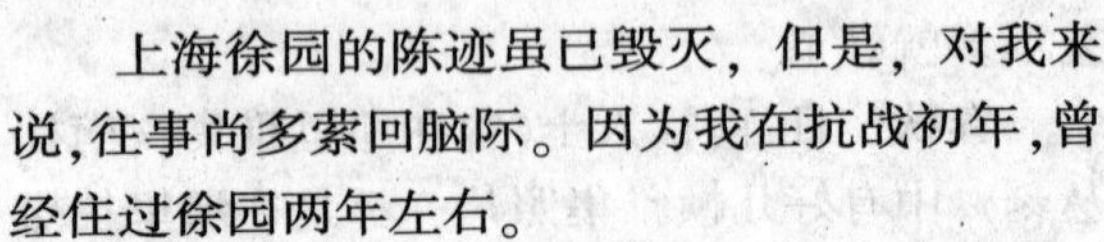

上海徐园的陈迹虽已毁灭，但是，对我来说，往事尚多萦回脑际。因为我在抗战初年，曾经住过徐园两年左右。

那时候，难民收容所只占徐园的一部分，还有一部分是租给北新书局使用的，它在这里做过栈房，办过学校——北新中小学。徐园最大的一座建筑物，我们叫它“大厅”。大厅的后面是难民收容所，大厅和它的前面归北新书局，互不相通。大厅的面积约有一百多平方米，大部分作为栈房，堆放书籍。

大厅的前面，中间是廊庑，可以容纳一百多

人，学校就在这里开大会。两边是假山，曲径通幽，但并不很高。山前尚有场地，种植花木。同时，厅前中间的廊庑，还向左右伸出，再前面便是一间间房屋，约有两进，当时有一部分便做了教室。

大厅的两旁，也有一些房屋。

在左面廊庑的尽头，有一个亭子，好似半岛一样，坐西朝东，背靠墙壁，并不独立。它可能就是被叫作“鉴亭”的吧？

我就住在这亭子旁边的房子里。

徐园大门在康脑脱路(今康定路)，正中上首还写着“徐园”两个大字。从左到右，横写，颜体。再上面是楼旁的窗门，屋顶还架起一个老虎窗。我现在还保存着站在大门前的留影。

徐园在麦特赫司脱路(今泰兴路)西，戈登路(今江宁路)东。当年康脑脱路有公共汽车行驶。

当初北新书局租下徐园，实际也是“难民”性质。它也是从闸北搬来的。惊魂稍定，便利用空房，办了一所北新中小学校，后来泉漳中学要求借用教室半天，在下午上课。这里就有了两所学校。

我住这里，也曾经历过一次雅集，那是禹贡学会上海会员的茶话会。到者有吕思勉、童书业、杨宽、胡道静、沈延国、俞剑华、柳存仁、李雅甫、邵景洛、赵泉澄等丨多人。我还拍过不少照片，可惜在文革中损失了一些。剩下的，犹可看到徐园的面目。

难民所失火那晚，我也住在园中。开始是很

猛烈的，熊熊之火焰扑来，劈拍之声不绝，幸好风势逆转，没有吹向北新部分，而救火及时，很快扑灭，损失不大。但是，由于火烧，可能改变了园主的主意，借此翻建市廛，这也是生财之道吧！一些精心设计的假山之类，海上寓公好容易从各处搬了来，反而要求公园帮它移去了。

不久，我也离开了徐园。

周家花园

周退密

先伯父湘云公与其胞弟、叔父纯卿公各有私人花园。曰“学圃”，湘云公有之，在今延安中路，为东花园；曰“纯庐”，纯卿公有之，在今华山路，为西花园。

学圃面积四十亩，抗战前，割其地之半建“景华新村”(在今巨鹿路)以供出租；仍留其半为花园。园中名花嘉木、奇松美箭之属无不备。枫槭一种达十数品种。有方竹可以制手杖；有黑牡丹可以矜孤赏。盆景木桩，称“东南第一家”。往日周瘦鹃常来园观赏，留连忘返，叹为观止；瘦鹃能文，未知有文记否？凌霄花一株高逾寻丈，虬枝纷拏，殆百年物。花时千朵齐放，如火如荼，烂若云锦。它如白皮之松，黄柏之木，在他处可称稀品者，在学圃亦视为常物。

当余童年，尚及见园之全盛时代。举凡孔雀、仙鹤、天鹅、鸳鸯之类靡不毕具。园中花竹掩映，绿树扶疏，芳草如茵，曲径通幽。石笋则笔立千仞，湖石则玲珑剔透，虽无洞壑之奇可探，要以平远之景是尚。盖湘云公两渡日本，颇师东瀛造园之法。圆池方塘，遍种茭荷，药栏花榭，全莳牡丹。草则春兰秋菊，木则丹桂黄梅，花有四时之香，人无终岁之寂；鸣禽来此结契，游客引为至乐。周家印有门券，供人索取。入园观赏，可消半日之闲。或席地野餐，或开轩张筵，观花赏月，觞咏流连，均可如愿以偿，比诸温公独乐之园，不且胜过一筹耶？

解放伊始，周家将土地分块出售，初建教堂，旋建私宅，未几又起高楼，而园遂以废，可谓人琴俱亡、风流永息，学圃之名永成历史上之陈迹矣。

学圃既如此，“纯庐”又如何？胜利之后，周家将此园售与虞洽卿之第三子虞顺慰，此时虞正以各地三北轮船公司码头增值而变成大富翁，手头绰有余财，始敢受此不生利之花园。顺慰得园之后，改名“蕊园”，辗转而为现今华山医院之住院部。闻园中之亭台楼阁，石舫池塘尚有存者，读吾文者不妨入内参观，领其佳趣；所异者，学圃较西式而纯庐则为一传统的中国古典园林。

词人笔底之周家花园

周退密

周家之有私人花园，当始自清末民初，至解放初期，已历时半世纪。余生也晚，犹及见其全盛时代。顾海上一隅，文人荟萃，于两园之景色罕有记述，倘文献之不足征欤，抑坐予之孤陋寡闻欤？殊以为憾。幸先后得王西神、汪旭初两大词家之篇什，正为“学圃”及“纯庐”而作，亟转录之，以飨同好。

王西神〔好事近〕学圃记事云：

丛桂解留人，尘外客襟红浣。一样小桥流水，问蓬莱清浅。维摩丈室画玲珑，花影媚秋苑。认取诗痕着处，听邻钟敲缓。

汪旭初〔三姝媚〕咏“芷园”云：

（芷园本周家园，归虞氏后，易今名。其中擅花木之胜。有竹一区，节干黄绿相间，尤为异种。三月中，与严益堂诸人同游，益堂指池边石舫，言其先人赏宴宾客于此云。）

嚣尘何处避？爱邻园深幽，半湾流水。水曲朱檐，认旧时烟艇，画桥闲舣。步屧留痕，空怅想、朋簪欢事。艳素娇红，犹似新妆，向人争媚。曲径高低成势。看种竹专丘，护花编织。顿惜芳华，待自携斑管，偏题名字。袖拂云根，随意藉、莓苔酣醉。唤取啼莺相送，东风又起。

上海佛教公会

姚明辉

光绪三十二年(1906)十一月，上海县僧会司静安寺僧正生领导龙华寺僧仲沛、海潮寺僧观月发起，会同青龙庵僧石点、大王庙僧常贵、三昧庵僧源来、大佛厂(ān)僧化宏等，联合城乡寺庙七十四所，设立佛教公会。昌明禅旨，议尽义务，弥已往之缺，开后来之功。禀由巡道准予立案。请照姚文栋、陈作霖为会董。议绅为：周晋镳、朱佩珍、姚明辉等七十人。城乡七十四所寺庙如下：

城内：沉香阁、洪善庵、福田庵、华严庵、观音阁、猛将堂、青莲庵(前院)、青莲庵(中院)、水仙宫、长寿庵、积善寺、关帝庙、广福寺、广福寺(南院)、广福寺(后院)、宁海庵、崇宁庵、铎庵、接引庵、地藏庵。

城外：海潮寺(下院)、大王庙、西村庵、大悲庵、西方庵、灵隐寺、九华殿、古云台、青龙庵、大佛厂、三昧庵、小灵山、财神殿、淡井庙、(迎春)高昌庙、致思庵、小九华、镇海庙、翠微庵。

原租界：静安寺、国恩寺、太平寺、圆通寺、净土庵、寿圣庵、外虹口三官堂、长浜关帝庙、弥陀寺、晏公庙。

东乡：高昌庙、河塔庙、三林庙、立雪庵、庆宁寺(西居)、庆宁寺(南房)、长寿寺、法华庵、海会寺、江境寺。

西乡：龙华寺、福回寺、福基寺、观音寺、宁国寺、大门寺、明心寺、法华寺、南王寺、北王寺、通济寺、安国寺、横泾庙、王承庙、大云庵。

当时此会与北京之佛教总公所、浙江之佛教总会，称佛教三大团体。

吴昌硕的墓葬

朱龙湛

1985年余应兰亭书会之邀，宿绍兴宾馆，与沙孟海老先生再度重叙闲话，为谈其师吴昌硕墓葬事颇详。昌硕先生七十五岁时曾自营生圹于安吉之凤凰山，与其先世明代吴维岳墓相近。不料数年以后，该处时有盗劫发生，行人裹足，吴老悔之。1927年避兵塘栖，游超山，乐其境胜物阜，民风朴厚，思筑新阡于此。吴老既殁，其子吴东迈因画家吕万(字十千)素擅风鉴之学，请吕到塘栖山中觅地卜葬，在报慈寺侧，即今墓地所在也。该处依山之麓，前即宋梅，遥指龟山，左眺马鞍山,风景清旷。破土筑坟时发现土壤呈朱砂色,砌圹数月,下窆时,手抚圹砖微温,四周有水蒸气为细珠,凝而不滴,吕万尝有《卜地诗》以记之。

王一亭为作《缶庐讲艺图》,勒石墓侧,列名门人十九位:郑道乾、赵起(云壑)、周梅谷、沙文若(孟海)、汪英宾、张公威、汪鹤孙、吴楷、钱厓(瘦铁)、吴钦勬、王立三、诸文萱(松台)、王传焘、吴熊、荀词(慧生)、王贤(个簃)、王堪(曼伯)及女弟子包贞等。另一碑嵌小门生十八人为纪念缶老所造的白玉佛像。

墓碑为周梦坡所书,墓表冯君木撰、于右任书、章太炎篆额。南有四周题名并有戴传贤诗。墓道前的墓坊为谭延闿所题,背后"四时月色"四字为张人杰所题。两侧石柱联为叶恭绰、王一亭、沈卫、任堇叔等书,自卜地至建成,历时三年,耗金万余,为今日超山名胜之一。

陈潭秋结婚买不起蚊帐

熊连城

1919年夏，陈潭秋在国立武昌高等师范学校英语系毕业。当时谋业困难，由友人辗转介绍，到刚开办的私立武汉中学任教员。该校校址在武昌涵三宫街。他先后任英文及国文教员，其时董必武也在该校教国文，我则在该校任图画手工教员。该校教员待遇极菲薄，陈潭秋在校任课，几乎是义务职，每月薪资只能勉强个人膳宿。那时他与武昌女子师范学校学生徐全直结婚，完全抛弃旧社会结婚仪式和请客送礼那一套。当时正值炎夏，武汉蚊子多，需要蚊帐，他们却无力购置。陈潭秋为此和我商量,我就把我在该校每周任课二小时的一个月薪资约十串钱借给他,刚够他们买一床蚊帐。由此可知他早年生活之艰苦。

后来他们夫妇都转到武昌高师附属小学任教,伍修权就是他们在这个小学教过的学生。

陈独秀和欧阳竟无的友谊

杜畏之

1937 年,抗日战争开始后,陈独秀从南京监狱里释放,不久就到武汉,小住数月,1938 年秋入川。为了远离尘嚣,他卜居江津,息交绝游,以文字学的钻研自娱。恰巧这时,佛学大师欧阳竟无也住在江津。于是,两个老人就作了邻居,经常来往,相濡以沫,各自得到不少的安慰。

这是两个迥然不同的人物。欧阳竟无毕生研究佛学,以弘扬佛法为己任,生活平静,没有很大的波澜起伏。陈独秀却一生泡在文化斗争和政治斗争的惊涛骇浪中。直到晚年,才因种种条件的限制而安静下来。他们的哲学思想也背道而驰。一个说“万法唯识”,是彻头彻尾的唯心论者。另一个却崇信科学,鼓吹唯物主义。就是这样两个迥然不同的人,却作了密邻,成了好友,不能不说是一个历史奇迹。

不过，如果细加分析，这两个人也有许多共同之处，有使两人互相接近的精神基础。他们都是从旧读书人中走出来的，都具有旧读书人的传统气质，刚正不阿，狷介自爱，不随俗，不媚世，既有“达则兼善天下”的壮志，也有“穷则独善其身”的情操。所以在那权贵跋扈、豺狼横行的时代，都能敝屣利禄，退居僻静小城，过着隐遁的生活。正是如此，他们才能“相视而笑，莫逆于心”，互相理解，互相安慰，互相扶持。

此外，促使两人互相接近的，还有另一种心理因素，这就是，他们两人都有丧子之痛。陈独秀的两个儿子，陈延年和陈乔年，都在 1927 年为革命献身。欧阳竟无呢，他的年轻小儿子因泅水而溺死于吴淞口外，大儿子欧阳格则于抗日战争初期以某种罪名被蒋政府处死。有这样的共同哀痛，所以两个老人就更容易接近。

但是，他们的友谊并没有持续很久。1942 年 5 月陈独秀与世长辞，稍后，欧阳竟无也作了古人。但这两位特殊人物之间的异乎寻常的友谊，却是值得我们长期回味的。

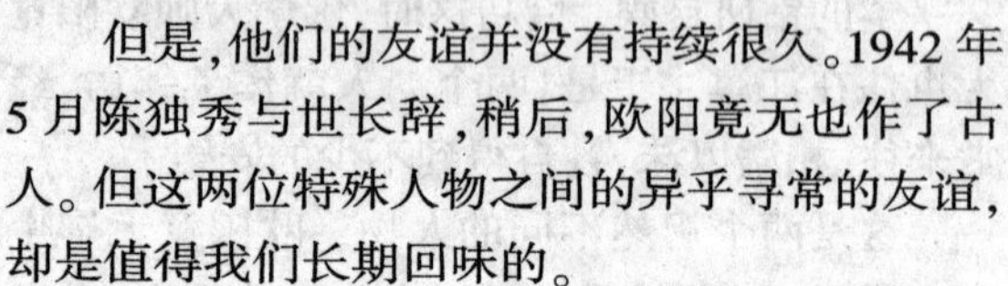

陈独秀写给欧阳竟无的一首诗

杜畏之

1942 年 4 月，我从新加坡回到重庆，寄居在陈真如家。这时，真如刚刚从江津归来，带回陈独秀写给欧阳竟无的一首七言绝句。这首诗是1942年春节时陈独秀为向欧阳竟无借阅《武荣碑》而写的。诗如下：

贯休入蜀唯瓶钵，久病山中生事微；
岁暮家家足豚鸭，老饕独羡武荣碑。

这首诗写得朴质无华，如以枯墨作画，别有风味，也充分反映了这位潦倒老人的心境。我很喜欢这首诗，所以虽然已经过了四十八年，还能记得。

前几年，有人说，这首诗是陈独秀写给朱蕴山的，显然是误传。第一，这首诗是刚刚写好不久由陈真如亲自从欧阳竟无处抄来的，并非辗转传抄，所以不会错，肯定是写给欧阳竟无的。第二，朱蕴山虽是陈独秀的老友，但在当时，陈独秀是一个“油漆未干”的人，一般人都不愿和他接触，朱蕴山是不会远道赴江津去看望陈独秀的。从1942年到1945年，我在重庆曾多次遇见朱蕴山，从来没有听他说到过江津，见过陈独秀，更没有提起过陈独秀赠诗的事。而且，朱蕴山也不搞书法，不收藏碑帖，陈独秀怎能跑到重庆向他借阅《武荣碑》呢？中国历代都有不少以讹传讹的故事，害得后世学者争论不休。说陈独秀赠诗朱蕴山，也是这一类的故事。

附记：最近在郑超麟处也看到这首诗。但末句“老饕”作“老馋”，不知是我记错了，还是郑处传抄错了。但就作诗用字而论，“饕”字似乎比“馋”字更妥贴些。

张闻天毕业于上海留法勤工俭学预备科

李修章

1919 年 7 月中华职业教育社和上海留法勤工俭学会委托中华职业学校筹办勤工俭学预备科。原计划设甲、乙两组：甲组学生须具有两年以上的法文程度，乙组为中专毕业生或有同等学历者。学习期限，甲组为二个月，乙组为一年。当时报名入学者不足开班名额，故仅开设乙组，共收学生四十九人。课程以法文应用语言为主，并授以机械制图及应用机械学，以及工场实习等科目。该科于 1920 年 4 月 30 日结束，经考试及格毕业者，共二十六人，张闻天是其中之一。据学校记录，张闻天学习期间，认真学习，成绩优良，在毕业考试中名列前茅。学生毕业后由华法教育会的一位法籍负责人某君，竭力设法，偕伴同学共赴法国，介绍到几处工厂工作并继续学习。

姊妹易嫁韩国钧

孙 俊

韩国钧,江苏泰州海安县人。家贫,幼年在私塾读书,聪颖过人。由同镇同盛钱庄刘翁资助,考取秀才。刘翁与王家楼王翁同为泰州富户,且有戚谊。刘翁常对王翁称誉韩将来必成大器。王有两女,便挽刘作媒将长女许配给韩。当时韩与王家贫富悬殊,迎娶之日花轿临门,王之长女嫌韩贫困,哭闹不肯上轿。家人都来相劝,妹妹也来劝说:"韩家虽穷,难道将来不会发迹?姐姐目光不妨放远点,莫失掉这个机会。"长女说什么都不依,反而恶声相向道:"你不嫌他,你嫁他好了,我誓不嫁穷鬼。"姊妹间一番抢白被父母听着,认为幼女深明大义,便试探幼女,拟将幼女易嫁。幼女道:"事情迫在眉睫,姐姐既不愿出嫁,只有代嫁可免父母为难"。于是姊妹易嫁,以幼代长,上轿而去。婚后夫妻感情和睦。不久韩也知道了易嫁的事,对夫人更加尊敬。后来韩果中举人,连中进士。由知县做到巡按使、省长,后长期从事水利事业。韩虽在旧社会为高官,但生平从不娶妾,夫人去世后也未再续娶。

马相伯百龄庆典在重庆

吕学端

1940年,复旦大学创办人马相伯(良)百龄寿辰。这时正在抗战时期,重庆的复旦同学假银行公会礼堂,为马氏举行百龄庆典。毛泽东和全国各地的知名人士都发来贺电贺信。参加庆典的同学,穿上当时的礼服——蓝袍玄褂。于右任、邵力子等马氏学生亲自担任招待,迎接宾客。礼堂四壁挂满寿幛寿屏寿联,红烛高烧,隆重热闹。来宾胸前都佩戴小圆形红“寿”字纪念章,小巧玲珑,十分美观。庆典由吴稚晖主持,国民党政府主席林森致贺词。主席台上,仅此二老,其余一律在来宾席入座。当时虽未邀请蒋介石,但蒋自动前来参加,也和其他来宾一样坐在来宾席上。当时与会者对蒋既不鼓掌欢迎,也未邀请他在会上讲话。复旦大学提倡的“复旦精神”就如此表现。

马相伯的压岁钱

陆礼华

1932 年,震旦、复旦两所大学的创办人马相伯,独居上海土山湾孤儿院。

这年农历腊月，马老的两位高足——从南京来上海的监察院长于右任和陕西省政府主席邵力子，约同当时出力募款捐献东北义勇军的朱庆澜一起来访马老，说是在春节中要再来拜年。马相伯很开心,回答:“好哇,我准备十块压岁钱，你们从徐家汇电车站来我这里，谁跑得快,先到,就拿压岁钱。”

正月初一那天，于右任第一个赶到给老师拜年了,朱庆澜后到,邵力子因事未来。此时我作为两江女子体校校长，也去向校董会主席拜年。马老对我说:“你才三十岁,年轻,如果也参加竞赛,压岁钱肯定归你呐。”说罢,于右任得到了压岁钱。众人高兴得拍手大笑。

章太炎晚年事迹被误传

金德建

章太炎先生晚年事迹，见于报纸副刊短文中，每有内容失实，纯属误传者。姑据1984年的题为《章太炎的门联》(见《文汇报》1984年5月26日)一文为例。前半大体上还可以，说："1914年袁世凯阴谋篡夺胜利果实，在诱骗章太炎未就后，即把他软禁。章太炎坚贞不屈。因辞旧迎新，就采用王维'路旁时卖故侯瓜，门前学种先生柳'诗句，当作门联张贴，表明自己决不愿与袁辈为伍的气概。"当时太炎先生究竟有没有用过这副门联，以我寡闻，也只能存疑。

可是接下去说："二十年后，章太炎迁居苏州阊门，宁静淡泊，不问世事，外人难得一见。时值1934年除夕，早已消沉，已无当年革命家气概的章太炎，表示与世隔绝，又写了这副门联张贴。同是这副对联，人们却可以从中看出章太炎前后截然不同的思想变化和政治立场"云云。这后半篇，完全不符事实。因为：(一)太炎先生迁居苏州，一直住在锦帆路。锦帆路与阊门之间是有一段不短的距离。(二)太炎先生迁苏，原是因为苏州有不少中青年，笃实好学，敬慕先生，愿列门墙为弟子。因而常常从上海去苏州讲学，历时三年。为久居计，于 1934 年秋间迁苏，怎么可以说太炎先生“宁静淡泊，不问世事，外人难得一见”呢！事实上恰恰相反。1935 年秋间章氏国学讲习会成立，全国各省来苏听讲的人更多，门庭更加兴旺，来客知交或陌生者不绝。即此已可知先生未尝“消沉”，也绝对没有“表示与世隔绝”。(三)太炎先生居住苏州，有没有贴过门联，也是疑问。因当年太炎先生所住洋房，是两扇大铁门，不是石库墙门。铁门而贴上红门联，也不雅观。我在 1935 年 8 月到太炎先生家里，稍迟于上文所说“1934 年除夕”七个月，也没见章宅大门上贴过红纸门联。

由此我想起北大教授刘文典说：“世间流传关于太炎先生的许多话，大约十之八九都是无根之谈；因为先生生性刚直，疾恶如仇，所以有人编造许多鬼话。‘章疯子’这个绰号就是无聊小人加到他头上去的。”刘文典的辨析，确是得当。笔端容易得罪人，别人就编造许多鬼话，并且还以讹传讹。早年被称“章疯子”；晚年苏州报副刊也常有讽刺章先生的文章，不知是谁写的，用的当然是化名。

刘师培琐忆

梅鹤孙

我的舅氏刘师培(1884—1919)字申叔,一字鲁源;又曾改名光汉,为《国粹学报》常用笔名。后居天津,用左庵名其集。江苏仪徵人。卒年三十六,遗书七十二种,1937年,桂馨等曾为之校刊印行。

舅氏天资颖异,过目不忘。我的母亲说有一年初秋,她偶取凤仙花汁染指甲。舅氏才十一岁,在旁看见,也要母亲替他染,母亲未允,叫他做一首诗方可。舅氏在一个下午就做了六十九首凤仙花绝句,第二天又足成一百首。当时亲友传颂,称为神童。

舅氏清瘦,面部与母亲极相似,两颧稍高,下颔略窄,发音不及母亲清亮。行走极快,虽在家中,常是挟书急趋。外祖母对他很钟爱,至十余岁时外出,仍必派人跟随。生于清光绪甲申年(1884)闰五月初二日,故小字闰郎。

舅氏生有异相,尻部有一无骨肉尾,长不及寸。我小时候常抚摩之,但每抚必怒斥,或持木戒方逐我出房外。又左足底正中有一红方记,如龙眼核大小,常于濯足时见之。当时有人说是猿转世,所以聪明异于常人。

江浙间有一种风俗，小儿初生时的胎发，到满月时剃下，要放在花盆里，上面栽一棵葱，时常灌溉，祝愿这棵葱长得茂密葱郁，象征小儿体气健旺，英华奋发。我外祖母也给舅氏这样做了，瓦盆甚大，上插竹栏围护，放在卧室窗下，不让风雨摧残。这一盆葱果然发荣滋长。自舅氏流亡日本，回国后住在芜湖，又迁上海南京，辗转十余年，外祖母都是迎养在一起的。到入川这一年，方回扬州。说也奇怪，这一盆葱虽多年无人照料，仍然鲜活。外祖母极为欣慰，灌溉尤勤，直到舅氏去世，外祖母悲伤而疾，旋亦弃养，此后就不知葱的下落了。

舅氏饮食清淡，不近肥腻，每日必沦佳茗两三壶，佐以杭州天目笋，也叫扁尖，放在外祖母房瓷盎内，舅氏每日必来掇取数次或十余次。读书写稿时，口中必定咀嚼不停，常说其味隽永，可算是一种特嗜了。

舅氏体质虚弱，秋冬间时常咳嗽；后来渐渐加重了，一两月就见他咯出几口血。外祖母烦虑得很，都是请他的舅父李颐园诊治。李先生名汝麟，学问淹博，尤精医学，虽不行医道，著作却是很丰富。舅氏服他的药颇见效，每逢咯血，外祖母就监督，随时巡视，不许写文章，甚至不许看书。舅氏又相信多医治病，在南京时，一次就请了六七位有名的医生。到山西后，肺病更严重了，才三十岁，头发已经花白了。1919 年己未 9 月 28 日在北京逝世。当时外祖母在扬州，噩耗传来，仅一月有余，也相继逝世了。

贫贱不能移的何香凝

周谷年

1941年12月太平洋战争爆发后不久，日军占领香港。留居香港的何香凝不得不带着两个小孙儿回到内地，在桂林艰苦度日。那时她已年近古稀，儿子廖承志被国民党关押在牢，媳妇也不在身边。

1944年湘桂战争发生，她从桂林被迫疏散到阳朔，后又沿漓江流落到昭平。那时陈劭先、欧阳予倩、张锡昌、莫乃群等在那里办起了《广西日报》昭平版。何香凝住在昭平时，陈劭先等多次拜访慰问她，笔者和不少知识青年也慕名随同前往瞻仰丰采，谁料她不但长得矮瘦，而且饱经风霜的脸容，叫人很难辨认出她和难民有何区别。只是她双目仍炯炯有神，精神抖擞，谈笑风生，令人十分起敬。

1944年11月，《广西日报》昭平版正式出版，得到廖夫人热情支持。11月12日是孙中山先生诞辰，她撰写了《纪念总理诞辰要遵照总理遗嘱》一文。文中说："总理不曾作寿，是因为革命尚未成功，他一心只为着民族解放。"

1945年1月，日军企图进犯昭平，廖夫人又匆匆迁移到八步。在"黄罗事变"中，她仓促避乱，常蜷伏在不能避风雨的小舟内，或踯躅在崎岖的山路上，蛰居在僻远的荒村里，颠沛流离，苦不堪言。待回到八步，身边只剩下一只皮箱了。幸而两个小孙子在她精心庇护下，安然无恙。不久，一个小偷又把她仅有的少量衣物席卷而去。可她毕竟是一个革命者，对身外之物，从不留恋，所以虽失窃了，她仍处之泰然。

日本投降的消息传来，她十分兴奋。1945 年 8 月 19 日，她在昭平版上发表了一篇《廖仲恺殉难廿周年的感想》，对国民党政府过去几年中从不举行任何纪念活动表示极大不满。她在文中道出其中奥妙，她说："廖先生原是革命前进者，大概前进与后退的方向不同，这便是这几年来对这个纪念日沉默的原因。"此文最后说："我廿年来，贫贱不能移，威武不能屈，坚守着总理晚年的指示。我问心无愧，可无愧总理及诸先烈于九泉。"

孤岛时期的柳亚子

涂孝穆

辛亥革命老前辈、卓越的爱国诗人柳亚子先生，在孤岛时期的上海，有力无处使，心忧国家民族兴亡，过了足足三年的"活埋"生活。据他自己的回忆，这三年中间出大门不过六、七次。

他对国民党当局消极抗战的态度十分反感，一颗赤子之心无由发挥，在面临一系列困难的逆境下，得了神经衰弱症。

自 1937 年 11 月 13 日上海失陷后，柳亚子许多友人都相继离开上海到香港去了，何香凝先生和廖梦醒也预备去香港。那时人们都劝柳去香港，但是由于健康、经济等原因，他不得不谢绝大家的好意，孤单地留在上海，把那时白色恐怖的环境比喻为“活埋”。因南明时的王船山，身处国家危亡，也曾关在小房间里著书立说，自强不息。作对联：“六经待我开生面，七尺从天乞活埋”，以表达自己的抱负。柳先生认为“七尺从天乞活埋”，道破了他当时的愤慨心情，因而把自己的住所署名为“活埋之庵”。

有一次我把自己创作的篆刻印谱请他题诗，他挥笔写了“刻画精工值万钱，雕虫技小我犹贤；何当掷去毛锥子，歼尽嵎夷奏凯旋”，充分流露了诗人鼓励年轻一代抗日爱国、杀敌取胜的感情。

值民主革命家经亨颐先生病逝，柳先生挥泪写下悼诗：“五绝颐渊曰著声，病床殡舍苦为情。辨奸每詈东窗妇，得婿宁辞左袒名。早死羡君成解脱，余生留我砺坚贞。放翁家祭知何日，白马湖头絮酒倾。”诗中热烈称颂经亨颐先生生前反对陈璧君之流的汉奸卖国行为，支持廖承志的革命斗争，并愿继续奋斗，完成友人没有完成的事业。

1938 年，柳先生在“孤岛”认识了共产党员、著名学者钱杏邨(阿英)。由他提供南明史资料，帮助柳先生把《南明纪年史纲》初稿四卷《南明历日表》等书写成功。又经阿英介绍，向郑振铎借到了珍本古书《南疆逸史》，并且花了一个多月功夫，手抄、校对了一个副本，用柳先生的话来说：“真是废寝忘餐，以全部生命交付这书了。”

柳亚子先生还多次和一个姓朱的同志讨论自己究竟该居留上海，还是出走的问题，朱同志是劝他坚持下来的。直到1940年11月12日那天，朱同志却劝柳先生非走不可。他分析，汉奸可能绑架柳先生，然后“三日一小宴，五日一大宴”，加以软禁，甚至盗用他的名字，发表乱七八糟的文章、宣言、通电。虽朋友会相信柳先生的人格，也相信他们捏造的文章不会像样，是瞒不过明眼人的，但是，西子蒙不洁，又何苦呢。为了这，为了国家民族，与其著书立说，何如以政治主张来救国家民族呢?柳先生于是决定走了。正巧他的三女儿无垢当时从香港回上海来探望孩子柳光辽。1939年9月去香港的柳无垢在孙夫人宋庆龄同志主持的保卫中国同盟工作，就这样，他订购了12月12日“亚洲皇后”号轮船票，带了夫人郑佩宜、柳光辽和保姆阿曼三人与柳无垢动身到香港，开始了新的斗争历程。

张元济拒金斥汉奸

陈梦熊

张元济先生(字菊生)在上海沦陷时期,虽仍担任商务印书馆董事长,但因退休,无薪水收入,而全年车马费,亦不够买一斗米。无奈,只得以鬻字糊口。

1945年7月下旬,亲戚夏某给他送来了一幅画卷、一封信和一张面值储备券十一万元的支票。要求在画卷上题写引首"蒹竹轩联吟图"六字及上款"筑隐先生,蒹君夫人"字样,下署菊老大名。此本易事,一挥即就。但菊老十分了解这位亲戚的为人和声誉,况且,以十一万元的高价来买这六个字,亦感蹊跷,故难落笔。

正疑虑中,菊老却在支票末端,发现盖有"傅式说"的印记。原来"筑隐"是大汉奸傅式说的别号。夏某在替汉奸效劳,顿时火冒三丈,怒不可遏。提笔疾书,写如下一封回信:

> 昨复寸函,计荷察及,细阅支票末有傅式说印记,题款为"筑隐"二字,词义相联,揣测必为一人。是君为浙江省长,祸浙甚深,即寒家宗祠亦毁于其所委门徒县长,以是未敢从命,尚祈鉴谅。图卷支票同时缴上,察收为幸,临颖不胜悚歉之至。

夏某收到这封严斥大汉奸傅式说的回信之后，理应愧不可当，深加自责。但却毫不介意，一无愧色，仍给菊老通电话，恳予通融，改写引首，以求曲成。菊老岂肯依从，又提笔写第二封回信：

> 前奉电谕……承嘱仅题引首，勿书上款，曲体下情，至深感荷，极应遵办，惟再四思维，业已明知而佯为勿知，于心终觉不安，故仍不愿下笔，务祈鉴其愚忱，婉为辞谢，无任企祷之至。

夏某再次吃了闭门羹，无话可说，只得作罢。不久，抗战胜利，傅式说以汉奸罪入狱，以罪大恶极而被正法。菊老的这则轶事，正体现了中国正直的知识分子的高风亮节！

张菊生与冒鹤亭

冒怀苏

张菊生先生祖辈与我家世交三百多年。明末，冒巢民因避马士英、阮大铖扰乱，从苏北如皋迁徙南下，蛰居浙江海盐张家一段时间。菊生先生为《冒巢民先生小像》画轴题跋长文，对此叙述颇详。到清代甲午战争前后，冒鹤亭与张菊生相识。戊戌变法后，张被革职，先到南洋公学译书院，后主持商务印书馆，五六十年来，与冒往来未断。

有意思的是1950年冒鹤亭预挽张菊生联一事,是从冒的日记中发现的。

1949年12月27日起,冒氏日记不断载有张菊生中风的消息。冒多次赴医院视张菊生病。1950年1月3日有记:"闻菊生病状不佳,过中美医院视之,为出涕"云云。

这年2月19日《日记》又记:"(李)拔可出示预挽菊生联语,因其遗命身后火葬,一旦闻耗,仓猝不及措手也。余与菊生三百年通门世谊,不可无文字,归寓亦撰一联云:结想无穷,賸廿四史校雠,名留身后;论交有数,尽三百年休戚,泪洒尊前。"是年冒将跨入八十岁,而张已八十四岁,足见两人亲密无间,感情极挚。

冒虽早为张预撰挽联,却是世事不可逆料,过了一段时间,冒却早于张元济,于1959年8月先逝。时张身体已极度孱弱,致未能亲自吊唁。同年12月张亦相继离世,人事沧桑,不胜慨叹!

黄炎培为城东女学撰校歌

崔智严

清季上海南市竹行弄有城东女学,创办者为松江枫泾人杨白民,助之者夫人詹氏。杨一生节俭勤苦，布衣粗食，尝曰："人莫耻于倚人。"又曰："为社会役，男女一也，学成好为群众服务，勿坐食，甘自暴自弃，堕为废材。"杨时时以此告诫学生。黄炎培曾志其墓并为作校歌。词曰："花衣街里竹行弄，有我城东女学社；女学社，屋三间，人半百，书一寮。大地山河，一半担儿我辈挑。吴淞江上，旭日一轮，照耀自由花。"观此可见该校创办旨趣之一斑。

梅贻琦的办学思想

华道一

日记最能反映一个人的真实思想。

据曾长期任清华大学校长梅贻琦的家属提供的梅氏日记：1945 年 11 月 5 日，梅氏在昆明和闻一多、闻家驷、曾昭抡、吴晗、潘光旦、傅斯年等共进晚餐，"饭后谈政局及校局问题颇久，至 12 点始散。余对政治无深研究，于共产主义无大认识，但颇怀疑。对于校局则以为应追随蔡孑民先生兼容并包之态度，以克尽学术自由之使命。昔日之所谓'新''旧'，今日之所谓'左''右'，其在学校应均予以自由探讨之机会，情况正同。此昔日北大之所以为北大，而将来清华之为清华正应于此注意也。"

梅氏日记从来极少谈政治观点，独有这一

天有此记录。当时正值抗战胜利，清华即将由昆明迁回北京之前夕。

大总统爱吃“腌小蒜”

蔡健生

徐世昌任大总统时，吾邑海州有个富翁沈文沛任议会议长。徐、沈均系清末的同僚。当时这些大官僚生活排场甚为讲究，每餐山珍海味。但久食生厌，沈就向徐推荐海州特产“腌小蒜”，嘱家人用玻璃盒盛装“腌小蒜”，不惜千里之遥(那时陇海铁路尚未通车)，专程送到北京总统府供徐品尝。据说总统食了甚为满意。

这事是我在家乡听父老传言，当地尽人皆知，确有此事。小蒜原是野菜，到了春天，不用播种，到处生长。妇女老幼自由在田间采挖。蒜头洁白如莲心，叶长而细，经过腌制，放入瓮中封闭起来，冬季即可取出食用。“腌小蒜”在吾乡是极不值钱的，贫民百姓，每家都备，但竟能受到大总统的品尝赞赏，也称得上是身价大增了。

林森与绣鞋长眠九泉

涂世勋

长期担任国民党国民政府主席的林森，抗战期间，住重庆歌乐山的官邸中。他每晚就寝前，必将在枕下一个用精致手帕包裹起来的小包，移放枕边，伴他睡眠。第二天起床后，仍放回枕下。有时，林森关了房门，取出小包中的藏物，抚摸审视，情深意切。

这小包内究竟秘藏的是什么东西呢？除了极少数随侍林森多年的贴身人员外，他人是不知道的。1943 年 8 月的某天，林森因车祸丧生，办理善后的人员在清理遗物中，打开小包一看，原来是一双绣花鞋。

林森早年丧偶，生前夫妻感情弥笃。自夫人逝世后，鳏居独寝，无有子嗣，只是念念不忘旧情，就把亡妻生前喜穿的一双绣花鞋秘藏枕下，与之同眠。由此，可觇林森对爱情之专一与纯洁。反观不少官僚政客，贪污腐化，三妻四妾，对比之下，天渊之别。

经治丧委员会决定，将这双绣花鞋置入棺中，伴林森长眠九泉。

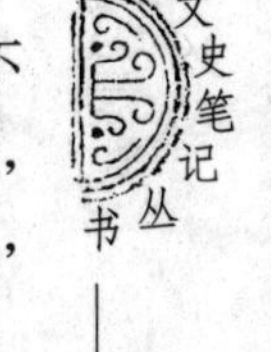

顾维钧三次婚姻

孙 俊

嘉定顾晴川于前清末年在上海道袁海观公署做幕友，其子顾维钧年十二岁就读于南市育才学堂，课后常去公署看望父亲。

上海名医张聋聱之侄张衡山，精医术，且为袁道之姨兄，亦被邀在幕，时张以能相人自诩，谓顾维钧将来必定出人头地。晴川以家境清寒，欲令子育才毕业后即去钱庄学徒。张认为可惜，自愿资助其深造，并将女儿许配于顾，以便资助有名。晴川一口应允。以后顾考取圣约翰学院，所有费用亦均由张家供给，后又卖掉良田五百亩资助他赴美留学，在哥伦比亚大学得法学博士学位。回国后仍住于岳家。顾见张女虽知书识礼，但为旧式女子，未受过新教育，不能在交际场中活动，心中烦闷。时张欲婿很快成名，写信介绍他去北京见外交总长唐绍仪，顾当即被任为三等秘书。唐之女玫瑰，交际花也，一次在北京饭店舞场中与顾相遇，一见倾心。因此不到两年，顾已由三秘升为情报司长。此时，张闻说顾升为司长，即电顾回沪完姻。而顾与唐女已誓嫁娶，张不得已乃将过去经过，直接写信给唐，倾箧倒出。唐乃痛责女儿不该破坏他人婚姻，而唐女以死相胁，唐不得已只得允为周旋。时唐已任国务总理，乃电淞沪护军使郑汝成，请他设法办妥张顾退婚手续。郑因此乃国务总理差遣，不敢怠慢，亲自带兵出马，令张衡山立刻写就退婚书。张经此变故，抑郁而死，张女也看破红尘，在陆家观音堂尼庵内落发出家(一说带发修行)。顾得悉此事，修书一封并附五万元，派人送往尼庵。张女道："他为他，我为我，了无关系。"将信与钱一并退回。

退婚后，顾与唐女结婚。此后顾步步高升，不久被派往美国任公使。唐女在美交际场中甚为活跃，顾在外交界中出人头地。唐女在美不久病故。顾在美又认识了英国某爵士遗孀黄蕙兰。黄之父即华侨第一巨富、糖商黄仲涵。不久二人结婚。回国后，顾即做上了外交总长。旧社会官场风云变幻，而顾却是不倒翁。

吴国桢妙喻"做裁缝"

华道一

抗日战争胜利后，上海市第一任市长钱大钧，第二任市长是吴国桢。

1946年吴国桢到上海接任市长时，上海清华同学会集会欢迎。吴在会上致词，他不作官样文章，开头就说："今天是和老同学谈心。我这次到上海来，好比做裁缝。原来的师傅裁剪走了样，现在却要我来缝制，所以是吃力不讨好的……”我当时也在场，听他这样说，十分诧异。“原来的师傅”不是指钱大钧吗？吴国桢公开这样说，似乎太不照顾钱大钧的“面子”了。钱是黄埔军校早期毕业的军人，吴是留美归国的文人，他们之间当时到底有什么矛盾，局外人不清楚。但吴国桢的讲话，说明他的个性还是直爽的，这是我当时的印象。

吴国桢父拒“聆”子“训”

华道一

三十年代吴国桢留美归国，三十岁刚出头，就被任命为湖北省民政厅长。那时他的父亲是湖北随县的县长。后来民政厅召集县长会议，按当时国民党的官方说法，厅长在会议上讲话，是“训话”，县长出席会议听讲，则是“聆训”。吴的父亲觉得做老子的要在会上“聆”儿子的“训”，实在不是滋味，就辞职不干了。这是吴国桢友人所说，录以备考。

陈布雷遭遇日寇飞机扫射

翁泽永

早年名噪一时的报人陈布雷(畏垒),后半生成了蒋介石的幕僚长(侍从室第二处主任),抗日战争中曾遭遇日寇飞机扫射。这事除了他的《回忆录》(自出身写到五十岁)有一段记录外,在公开发表的报刊和传记中,犹未见披露或记述。

事情发生在1938年10月23日,武汉失守前二日侍从室包租的一艘轮船中。船中载了侍从室第一处和第二处部分高级官员、一般职工及卫士共数百人。船于22日薄暮从汉口出发沿长江西驶,23日午后过新堤约十余里的王家镇。当时晴空无云,忽有日机低飞掠空而过,乘坐在底舱的卫士探头到船舷外眺望,可能机上日寇飞行员发现船上有士兵,故即绕船三周以机枪扫射。陈布雷当时正坐在顶层的头等舱中,左右有陈芷町(第四组组长)、李唯果、王学素(均秘书)和家父翁祖望等,还有副官陈清、勤务吴均,闻声立即就地在舱中卧倒。在敌机第二次扫射时,陈布雷在《回忆录》中描述他当时的心理状态略谓:

……时余心尚定,瞑目自持,念抗战时期前后方牺牲者多矣,余生平虽无大贡献

于国家，然立身行已，差无愧怍。余父四十九岁弃余等而逝，余即不幸被难，而长儿亦二十五岁矣。至此心愈宁静。然芷町忽呼余曰："吾老母将奈何！？"闻此语为之凄然……

待敌机第三周扫射过去后，未见再来。检视船中，卫士伤亡多人，引港及船员亦均受伤。高级官员中王学素肩胛中弹，家父即为其止血并包扎。待包扎毕，忽感自己左肋边缘与手臂有微痛，检视之，发现上衣及卫生衫内衣等均为枪弹所洞穿，盖一机枪子弹正好在他胸臂间穿过，胸部与左臂仅擦破一点皮，真是险极幸极！

在当地基层政府协助下，安置了伤亡人员后，大家再登船续行。经沙市，越二日到南岳。这次三架敌机火力集中底舱，大概敌飞行员看到底舱中均着军服，故上面两层中弹少；同时幸未投炸弹，否则后果更难想像。

是年十二月我从浙江到桂林，布雷舅父与家父都曾将这段惊险经历和我谈起过。家父的中弹衣服我们曾一度留作纪念。

上述这段经历，1948 年 11 月 12 日陈布雷在南京自杀前一天还忆及。陈在自杀前一天写了十几封遗书和一篇约 1600 字的《杂记》。当年都在报上公布过，这是大家都知道的。《杂记》主要叙述他自杀的原因，是油尽灯枯，无可供役使，心与力太不相应，只好出此下策。文首他这样写：

人生总有一死，死有重于泰山，有轻于

鸿毛。

倘使我是在抗战中因工作关系（如某年七月六日以及在长江舟中）被敌机扫射轰炸而遭难，虽不能重于泰山，也还有些价值。

可是——他是一个悲剧人物，最终还是以悲剧结局!

曹聚仁无锡被拘记

邓珂云

1936年七君子被捕前夕，曹聚仁应无锡启明中学校长廉建中邀约，前去讲演。我和妹妹素云随他同行。那天天气晴朗，气候宜人，正是旅行的好时光，我们乘上了沪宁车。那时火车的一角，设有出售书报的小摊，我们就选购了几本杂志，随便翻阅。下午二时左右到达无锡车站。

谁知一下火车却遇到意外。只见一群穿黑制服的警察，向我们围了上来，二话没说，就将我们带出车站，押解上三辆黄包车，七八个骑自行车的警察，前后左右将我们带到警察局，分置在三间房内，隔离讯问。好在我们各自沉着应对，坦然处之。讯问到傍晚，他们见不得要领，只好放我们出来。由早在警察局门口探音信的廉校长和几位教师，把我们接到住宿处。当夜为我

们设宴压惊。次日演讲照旧进行。

事后才知，国民党当局事先风闻七君子将有集会，以手执《生活杂志》者为记。那天布防在车站的警察看到曹聚仁手中有杂志，错以为我们是七君子的“同党”，不惜侵犯人身自由，演出了这出风声鹤唳、实是庸人自扰的丑剧。

出事次日，上海《大公报》以《捉放曹》为题，刊登了一条花边新闻。不久，七君子果然被捕。

孙殿英的两份白话电报

陆诒

1940年3月底，我从晋东南抗日根据地启程南返，《新华日报》华北版何云和、陈克寒同志骑马远送我三十里外。临别，他们都劝我路经豫北新五军防区时，一定要访问传奇人物孙殿英军长。

新五军军部驻于林县的临溪镇，我先访问副军长邢肇棠将军(事后才知道他是一位共产党员)，他热情地向我介绍情况，劝我访问孙殿英军长时不妨随便一点，不必太拘谨。当时，孙殿英对八路军的态度比较友好。同年3月初，国民党九十七军军长朱怀冰率部向八路军挑衅进攻，被八路军在武安、林县一带消灭了两个师。双方作战，孙殿英部队严守中立，这对八路军迅速解决这次战斗十分有利。

孙殿英是一位彪形大汉，典型的西北军人。他在内战中变化多端，老于世故。他脸上有少量麻点，身体很结实。那天他身穿长袍，外表文质彬彬。一开头就说："这次九十七军全军覆没，朱怀冰落荒而逃，差一点当俘虏，还是我把他收容下来的。他的家眷也由八路军派人送来，委托我送回洛阳。同八路军闹摩擦，肯定没有好下场！"

我说："这样说来，孙军长是反对摩擦的。"他立即摇摇手说："不，并非如此。从某种意义来说，我是靠'摩擦'才生存下来的，也可以说是吃'摩擦饭'的。从大范围来讲，如果不是日本兵打进华北，恐怕政府对我的通缉令还不取消哩！再说，蒋先生千方百计要收拾杂牌部队，如果我今天旁边没有八路军，必要时还可以靠拢一下，哪里还有新五军的存在？"说罢，哈哈大笑。

他还乘兴给我看了一份电报，那是他当时给冀察战区总司令鹿钟麟的复电。电文是："(衔略)你要去摩擦，你去摩好了，加上一个'我'，连我也摩光了！孙魁元叩。"

我在孙殿英军部住三天，每天和他同桌吃饭，随便谈天。不过他再三声明，切勿在重庆《新华日报》上发表他的谈话，借用他的话来说："还是让我在政治上灰色一点好，一登贵报就会染上红色，不利于我今后向蒋先生要饷、要军火，咱们交朋友来日方长，不必做表面文章。"

有次，我们谈起了阎锡山，他非常愤恨，说此人老奸巨滑，不可靠。他举例说："抗战初期，我在石家庄以北拉起队伍当冀察游击司令时，人多枪少，处境非常困难，曾经致电第二战区司令长官阎锡山，要求他发还他当年留存在山西的一部分军火，以应急需。但是阎复电称，此项军火已解送南京中央政府了，其实是为他吞没了。我就再发一电致阎锡山，文曰：'(衔略)我的军火，你说解给中央了，很好。如果没有解，留给你自己用，也好。孙魁元叩。'"

孙殿英的两份白话电报，语言幽默，充分表达了他当时的思想感情。

吴佩孚暮年掠影

汤国桢

吴佩孚于1932年(民国二十一年)春天到北京安度晚年。事前张汉卿(张学良)命我为他先期准备一切。吴在北京什锦花园，本有自置住宅一处，因多年无人居住，需要修葺整理，故即派人为他修理停当。吴到北京日，我奉命到车站欢迎。彼时吴虽已下野多时，但仍带有卫队一连，乘坐的仍是专车。吴衣长袍马褂，下车后即乘为他准备的汽车往什锦花园私宅。其贴身卫士数人亦同时跨在汽车两旁的踏板上。军阀时代盛行此种陋习，惟通常一旁只站一人，多者亦不过二人，而吴的卫士两面各站三人，共六人，载荷超重，以致踏脚板几为之折。事后经司机检查，已发生损坏。这也可称是一小小的插曲。

汉卿对吴有所馈赠，必命我代为致送。在吴初到北京时，我到吴寓所，曾见院内房屋各贴有参谋、副官等所谓八大处的红纸条。再去时，则所贴纸条已不见，而一连卫队亦已交与于学忠；因于学忠此时任平津卫戍司令，系其旧部。吴氏只内眷一人随伴，闻并非正配。吴无子，以后传闻有以侄儿继嗣之说。其高级旧部随行的我记忆中好像只有一个白坚武。吴那时精神尚可，但已显老态，熟于史事，谈话时多喜用旧典，时人传其曾为前清秀才。吴对"八阵图"、"拐子马"等引证各书纵谈甚畅，惟有一次在谈及中国武术时，吴似深信四川峨嵋山中确有炼气剑客能飞剑刺人等事，未免太神话了。

尚忆及最后一次张(作霖)吴(佩孚)会见时的一个小趣闻：1926年(民国十五年)张吴弃嫌修好，联合攻打国民军，国民军退走察绥。是年六月张吴约会于北京，时张作霖早已在北京，而吴佩孚则系乘专车由京汉线北来，下车即赴会场。会见时双方戒备森严，厅中静肃无声，只闻张吴二人缓缓的说几句客套话。彼时北洋政府的内阁总理顾维钧亦被邀参加。顾衣大礼服，到后即将大礼帽挂在衣架铜钩上。会谈中，大礼帽被人误碰落地，帽是硬质的，"啪"的一声，四座大惊。双方卫士，拔枪相对。后始知系顾帽坠地，方解误会。故时人比喻此次会见为"新鸿门宴"，确也事出有因。

詹天佑谈火车“自动挽钩”

郭民原

清末建筑京张铁路(北京至张家口),詹天佑是总工程师。我父亲当时任邮传部侍郎,与詹氏为至交。1917年我参加铁路测量工作时,路过汉口,受我父亲的嘱咐,专程去访问詹氏。当时铁路工作人员和民间都盛传连接火车车厢的“自动挽钩”是詹天佑发明的,甚至有人说外国人就把这种挽钩定名为“詹天佑”。但我和詹氏谈及此事时,他却连声否认。他说,这挽钩是京张铁路某车站一个专做车辆挂钩工作的中国工人发明的,可惜这个发明人的姓名却被埋没了。他说,这个挂钩工人最早是把他构想的草图给一个在铁路工作的英国人看。那英国人回国后按图试制成功,发现效果良好,后来全世界都普遍采用了。这位中国工人发明家据说也为此得到一笔钱,但数量不多。不过这个英国人还是老实的,他对人坦白承认这是中国工人的创造,并没有冒称是自己的功绩。詹氏又说,他当时负责的是铁路建筑工程,工作确是繁忙。至于车辆检修保养和调度等业务,都另有负责部门,他也无暇顾及。他并没有为这个“自动挽钩”尽过力。

在我和詹氏告别时,他又再三叮嘱我要为

此事向各方多作解释。他说:“我在铁路工程方面享有盛誉,已觉受之有愧;决不能再在‘自动挽钩’的发明问题上掠人之美。难道我还能不如那个英国人吗?”

听“冬皇”孟小冬绝唱

黄萍荪

传余叔岩衣钵者除孟小冬外, 李少春亦为其一。由于少春的舞台生活与生命共始终,和观众比较贴近,而小冬则一度成封闭式传奇人物,是以顾曲者对之不无有“高山仰止,虽不能至”之感,仍望其有复出之一日。我从三十年代初一直盼到1946年秋,始由梦寐成为现实,可说“望穿秋水”矣。

这是一次假救济某地水灾的机会, 小冬冲出禁网,在牛庄路义演两场,戏码均为《搜孤救孤》。这台戏的搭配非常整齐:程婴当然是小冬,公孙杵臼为海上名票、“冬皇” 高弟某纱厂小开赵培鑫(二人共一弦,都唱正工调)。裘盛戎的屠岸贾,魏莲芳程妻,操琴王瑞芝,能说不是“一时无两”吗!

那年《搜孤救孤》的黑市票价,用上海人的话说,每张虽相当于时值一只“小黄鱼”(指黄金一两),购者依然争先恐后。观后几乎众口一词地

曰:“值得值得!过瘾过瘾!”然则究竟好到什么程度呢?先说说我的观感。

孟小冬的特点首先是无女声尖窄之病,出字收音、行腔运气均有准绳,而且扮相潇洒,身段凝重,每一投手举足,法度谨严,在够得上一个“帅”字以概括之。

程婴在屠岸贾的惊堂震慑下,唱〔上黄导板〕:“白虎大堂奉了命”,“虎”字用强烈的脑后音发出,全场气氛顿时变得鸦雀无声,四座沉寂得除鼻息外,几无他闻。下转[回龙]:“都只为,救孤儿,抢亲生,连累了年迈苍苍受苦刑,眼见得两离分”时的甩髯口、左右望,及“手执皮鞭将他打”时的内涵,均能从面部表达出来,使观众了然演员潜在意识的深邃,不愧为一位受过名师点拨的大家。百年来,出过无数的女老生,以“鹤立鸡群”誉之,小冬应是当之而无愧的。

我看孟小冬的表演有三个不同的阶段:一、孟小冬在上海共舞台演出的时间相当长,她演连台本戏《宏碧缘》饰骆宏勋,暨《狸猫换太子》的陈琳,《阎瑞生》中的莲英,时装登场,破旦角用本嗓的先例,声誉雀起,当时我还只有十二三岁,把积蓄下来的压岁钱、点心钱两个小金库,倾囊往观;二、孟、梅(兰芳)合作,在天蟾舞台贴《四郎探母》男公主,女四郎,令人扑朔迷离,票价每张五元,还是场场拉上铁门;三、即1947年中国大戏院听《搜孤救孤》,同时也是最后的一次,从此,广陵散矣。

孟小冬(1907—1977)北京人,梨园世家,但其父鸿群、叔鸿茂(我还在老大舞台看过他的《石头人招亲》,大肚子,唱得滑稽突梯,印象颇深),均落户上海。小冬走红,亦在春申。然则何以又说她是传奇人物呢?因1929年,小冬因不如意事常八九,一度息影氍毹,寄寓津沽友人家,茹斋念佛,并在河东某庵受戒,出入居士林,四大皆空。之后入杜(月笙)门为杜妻姚玉兰腻友,身世暧昧。抗战时随杜飞港转渝,从此侯门似海,与观众绝缘。无怪1947年中国大戏院之露面,风靡歇浦,牛庄路东西为之水泄不通矣。

1949年杜携小冬再次赴港,至杜不起之日,宣布与小冬结婚,以遗产之若干股赠孟,其命运可谓与另一著名女老生露兰春 (为黄金荣霸占)大同小异。吁嗟!亦"我虽不杀伯仁,伯仁因我而死"之流欤!

小识柳非杞

涂稷香

上海市文史研究馆馆员柳非杞,1982年5月因癌症逝世。他是无锡人,是无党派的进步人士。抗战胜利后,他从重庆来上海,从事图书馆工作,因我们两人都酷爱字画,成了好友。

抗战时和抗战胜利初, 非杞在重庆与周恩来、董必武等中共领导人以及文化界进步人士有接触。如周恩来得知诗人柳亚子 1942 年离香港后，便致书非杞："亚子先生脱险，欣慰无已。其行止自以在桂林小住为宜……" 因当时进步人士旅居桂林较安全。后亚子果然旅居桂林，直到抗战胜利才飞重庆，这显然与非杞转告周的关怀有关。周恩来因事与非杞联系，有一些书信给他，非杞宝之，请早年追随亚子的武昌友人曹美成珍藏，不料"文革"被抄。幸经非杞在沪多方追查，才大部找到后给国家保存。

又如董老曾为非杞辑《鲁迅旧体诗集》写横幅"鲁迅先生的诗"六字，题款"一九四三年十一月为非杞兄 董必武"，下钤"必武"朱文印，惜"为非杞兄"四字已被挖去。此书虽因故未出版，但留下董老遒劲挺拔的题字，非常宝贵。此书还留下许寿裳序、跋，柳亚子、茅盾、魏建功跋和日本进步文人鹿地亘诗等有价值的材料。

非杞在重庆与郭沫若等来往密切。郭老在甲申三百年纪念之际，为非杞戏绘老树桩抽出两枝嫩叶上开了几朵白花的国画，这幅画与郭老 1942 年 5 月为非杞手书的甲骨文条幅，同为郭老罕见的手迹。非杞曾告诉我，郭老多次为他求冯玉祥将军画，并为冯画题诗。如著名的《骑驴图》(载 1942 年 5 月 11 日重庆《新华日报》)。一次，非杞在郭老家中与进步人士一起欢迎周恩来、柳亚子来重庆，亚子在聚会上说："中国的光明在延安。"非杞接着风趣地说："重庆的光明在这里。"

在现代画家中，非杞十分爱徐悲鸿的作品。

当他知道悲鸿有收藏外国画片的癖好时，就在上海留意收集寄赠。非杞还收藏悲鸿的精品《雪》，后归徐悲鸿纪念馆藏，近年出版的悲鸿作品选集中，常将此画选入。

非杞也爱爱国老人何香凝的画，曾对我说："求何画易，求何的字却难。"他很欣慰地得到过何的字幅："人寿千年，长松万古，风雪不屈，撑住河山。"思想是爱国的，书法是有骨力的，写在纸上，墨润为脂，难怪非杞爱不释手。

非杞逝世前，我突然接他来信要我与他"最后一见"，我急忙看望他，他给我看了国际问题专家刘思慕替他设法住入医院的信。不料进院没多时，就溘然长逝，真的成了与我的"最后一见"。

上海名医张聋聱

姚明辉

上海名医张聋聱先世以医行。最著名的一代在清末民初，真名是张世镳，字镶云。

张氏医术高，医德好，中岁耳聋，诊病时须佐以传声筒，故民间称为"张聋聱"而不名。

张氏每日黎明即起，督子若孙悉心应诊。门以内至庭除间，屏息待诊者恒肩摩无隙地。时物价累涨，诊资却不随物价而加。不设"拔号"、"特

诊”。然见急病,必趋前先诊,一洗时医陋习。病家贫者不特却其酬,且能给以药资。富者延诊,酬金或从丰,则色不豫。顾待人和煦,蔼然可亲。寓沪名公巨卿多乐就之,则亦依次坐,无特席。其于致病原因,率直言不讳。人服其应验,怡然受之。光绪之季,清廷广征天下名医,有司举之,辞不应召。宣统三年(1911)冬,一银行长,行素污鄙,势方显赫,病革,征诊。张氏婉言却之。该行长又签巨款相促,张氏返其款,竟不往。其耿介类此。民国十四年(1925),年七十一岁殁。后嗣传其业,世其德弗衰。

上海种痘创始人

姚明辉

黄镆,字春甫,原籍江西。道光季,年十七来居上海。信耶教,习西医。咸丰中,服务于仁济医馆。同治初,天痘盛行,镆请于巡道应宝时,就城隍庙创种牛痘。光绪初,巡道冯焌光设局于豫园世春堂,延镆办理。镆自任施种,捐备苗药。设分局于三林、闵行,终日奔走于医馆痘局,历四十余年,济人不倦。镆本信耶稣教,乐善举,乃殁前忽嘱家人笃信佛教,传为奇事。

傅筱庵发迹史

张肇基

傅筱庵，浙江镇海人，字彦伯。十五岁时通过亲戚介绍到青岛大德(颜料)洋行做艺徒，业余补习英文和德文。满师后就在该行当职员，仍继续刻苦学习。他在而立之年，把平时节衣缩食积蓄下来的钱作为资本，租下青岛德大街(今中山路)上的一间铺面，开设了德昌颜料行，专门经营德国“鲁麟”出品的颜料。当时德国“鲁麟”颜料是世界闻名的抢手货。德商为了在华倾销大量颜料，不仅给傅以厚遇，而且让他享受“待货出售给付款”的特殊优惠。于是，德昌颜料行在天津、济南、上海等地设立分支机构，代销业务十分发达，在全国的进口颜料行业中占有领先地位。

民国三年(1914)，第一次世界大战爆发，侨居中国的德国人纷纷回国，德商运华的颜料大量拥到，一时难以脱手，不得不低价卖给德昌颜料行。德昌购进这一大批颜料后，由于欧战日趋激烈，颜料停止运华，以致在中国各地市场上，进口颜料成了热门货，货价突飞猛涨，使德昌颜料行老板傅筱庵一下子赚了数十万元，这在当时已堪称得上一个大富翁了。

傅发迹后，衣锦荣归，在原籍镇海城内大兴土木，建造了一所豪华型住宅。新居落成，适逢傅筱庵四十生辰，做寿时大事铺张，阔绰非凡。是日，傅家大门前车水马龙，连显赫一时的镇海城防炮台司令吴大宝(绰号吴大老)、镇海县太爷曹星洲和鄞县县太爷以及当地的豪绅们也都前呼后拥，登门祝寿。

迨至欧战结束，德国将原霸占的胶州湾归还中国。此后军阀混战连年，山东省处于张宗昌、韩复榘控制范围之内。傅筱庵在青岛、济南开设的德昌颜料行，成为被敲诈勒索的对象，军阀手下还有人企图把傅筱庵作为绑架的对象。傅见势不妙，遂从青岛秘密逃到上海，下榻英租界白克路(今凤阳路)。他早在英租界北京路设有德昌颜料行上海支行，从此在上海住了十年之久，曾任上海市总商会会长，成为商界中有财有势的“闻人”。日军侵占上海后，傅无耻地出任伪“上海大道市政府市长”，最终被开枪打死，落得一个可耻下场。

皇帝出殡的抬棺人

邵珺飞

人死后,抬棺木出行至墓地或某处寄存,北方叫出殡,南方叫出丧。封建时代,皇帝的棺材叫梓宫,皇帝死了叫殡天。他的棺材也要抬去陵寝停放。在出殡的过程中,惟恐振动了棺木中的"龙体",于是又出个法子来检验这些抬棺人的技巧稳妥与否,以保证棺木中"龙体"的平稳。这就是在出殡之前,先用一块大木板,板上放一张方桌,命四位翰林坐在这张方桌的四边。每位翰林面前放一碗水,然后命这些抬棺木的人夫,抬起这块木板来走。这四位翰林每人看着一碗水,要在这抬着走的过程中，碗中的水一点都不泼出来，这班人夫才算合格抬梓宫。

我的伯父邵伯䌹，前清翰林，曾被指派担任过这“看水碗”的特殊任务。前述情况，就是我伯父给我说的。

孙宝琦“禁赌”

沈北宗

袁世凯执政期间，因贿结国会议员，以赌为交际酬应，于是赌风大炽。民国二年(1913)秋季，袁世凯向四国借款一千二百万英镑，军阀政客大肆分赃，赌资更为雄厚。民国三年，有一天，孙宝琦见袁世凯时说：“现在北京赌风太盛，一场输赢，动辄数十万元。”袁闻之大骇，即下令步军统领、警察总监，厉行捉赌，不问其人地位如何，概由总统负责。最豪之赌客梁士诒、张镇芳等闻讯，不知禁赌之风所由来，多方探询，方知是孙宝琦告的密。原来孙自己也在这个赌团之内，某日搓麻将，孙大胜，赢得了四十余万，想就此歇手，保持既得，故向袁告密，想假袁之力禁赌。赌徒不服，终将孙宝琦除名。

总长夫人的使命

吴文漫

本文所谓总长夫人者，乃北洋军阀张作霖做大元帅时手下的亲信阎泽溥(当时任财政总长之职)的第三位太太。我自幼过继给他们。

末代皇帝溥仪所著《我的前半生》一书曾提到过张作霖送给溥仪十万元现大洋。当时阎总长把这一任务派给了他的总长夫人。

总长夫人接此任务，大动脑筋，忙得不亦乐乎。首先考虑如何穿戴打扮，其次要去觐见旧皇室的瑜、瑾二妃，非同小可，要学怎样行皇家大礼。于是每天在家练习怎样请安，怎样行三拜九叩首。随后带了十万银元之外，又加上四样贵重礼物：燕窝、鱼翅、人参、银耳。

觐见的当时情况我不得而知，因为是由女仆童妈陪去的。但记得不数日，即有宫里派来老太监送来的全桌皇家酒席，另外还有各色织锦缎。我那时年幼，爱吃甜食，故记得最清楚的就是栗子面的小窝头、茯苓饼、豌豆黄、莲子羹等。还记得那一位身形高大，说话像老太婆的来客，原来就是所谓的太监。

孙传芳杀人仍要“砍头”

樊崧甫

民国以来,犯人执行死刑都用枪毙,“斩首”酷刑已废止。但孙传芳杀人仍要“砍头”。

1925年10月,孙军上官云相部与直鲁军施从滨部作战于固镇。施从滨本人与部下包括白俄雇佣军在内共千余人被孙军俘虏。上官云相以军用电话向驻在蚌埠的孙传芳请示处置办法。孙亲自接话,说“统统砍头”。七十多岁的老军阀施从滨立时身首异处。那些白俄雇佣兵,跪在地上磕头,以手指心表示要求枪决,又摇手抱头,表示不要砍头。但是大帅有令,谁敢违反,大刀起处,千余人头纷纷落地。

1926年秋,原孙军部下浙江省长夏超就任国民革命军第十八军军长举行反孙,与孙军作战于嘉兴,兵败被俘。孙也下令将夏砍头,命人把头送往九江由他亲自验实。

"韩青天"乱杀送信人

董友松

韩复榘自称"韩青天"。他坐堂审案有一种奇特惯例：只要他把右手往脸上一摸，那就说明他要杀人了。接着，他再把手向左边一挥，这便是一批该死的囚徒；如果他把手向右边一挥时，那末这就是一些幸运儿，马上就可获得恩释。

1933年初春。一天，韩复榘正在审案，恰巧他的亲信参议沙月坡派人送信给他。这个粗鲁而又倒霉的送信人，为好奇心所驱使，不知不觉中，错误地站在省府大礼堂左边那一行列，竟泰然自若地看起热闹来。不多时，执法队蜂拥而上，不问青红皂白，将左边这一行列，全部来个五花大绑，押上刑车。这个送信人如梦方醒，顿时不知所措，乃大声疾呼说："我是送信的呀！我不是土匪！"韩复榘狞笑着说："送信的也该杀！"就这样一同绑赴千佛山下刑场处决了！

事后，参议沙月坡曾亲自到韩复榘那里叫苦，韩复榘明明知道这是误杀，却自我解嘲说："既是来省府送信，按理就应当规规矩矩地在省府传达室里接洽才是，鬼鬼祟祟地站在大堂的左边作甚？难道说他就不懂得我这里的规矩吗？这也是咎由自取！"

康泽命我绘制军事图

范锡品

1938年，我在国民党军委会政治部第二厅当参谋，大部分时间则在厅长康泽的机要室工作。这年4月中旬的一天,我被康叫去。他从卷宗中取出一张军事草图和一份材料，叫我先看一看材料内容,依照草图按规定的比例尺放大,然后根据内容说明，在图上的各个据点用仿宋体一一注明,绘制成一份正式的军事图交给他。并说有不明白处直接找他或找主任秘书袁永馥，并指定绘制的地方在办公楼底层最后面的一间,开门钥匙向袁永馥拿取。

我带回地图一看，原来那份军事草图是一张包围陕甘宁边区的军事部署图。材料内容就是包围圈各个军事据点兵力配置的具体说明，包括兵种、番号、人数和各个防区以及联络方法。我试绘了一张送去,康认可后照样绘制了一张正式的连同草图和材料说明一并交给他。

这事发生在“保卫大武汉”的口号声中。当时蒋介石表面上大讲“团结抗日”,实际上仍在阴谋策划包围解放区，康泽要我绘制的军事部署图,就是一个事实证明。

从“门房间”看国民党中央要员

涂世勋

抗战期间，笔者常去重庆上清寺国民党中央党部采访新闻，与门房间的一位老工作人员搞熟了，大家都很谈得来。他把他在中央党部工作多年的亲见亲闻，如白头宫女话天宝遗事般絮絮道来，娓娓动听。

他说，北伐成功后，国民党在南京成立中央政府，国民党中央党部设在丁家桥，他就开始在那里的门房间工作，人员们的进进出出，他都看得一清二楚。

最早的中央秘书处秘书长是叶楚伧，后改名为中央党部秘书长。

那时国民党中央的很多元老，如丁惟汾、林森、张继、邵力子等来上班时，坐的都是旧式汽车，有的坐人力车，吴稚晖是经常步行的。他们的生活十分简朴，穿的都是蓝布长衫青布鞋，看去都像土老儿，一点架子没有，见了我们这些工作人员或勤杂工，都亲热的称呼为“同志”。

抗战后的第二年，迁都重庆，中央党部的秘书长改为朱家骅。他讲究穿着，西装笔挺，皮鞋雪亮，坐的汽车很新式。这时新来的服务人员和勤杂工，大都是本地人，朱家骅不是叫他们为同

志，而是叫他们为“工友”。

后来秘书长换吴铁城。他的官架子可大了，西装革履，汽车是最新型的，对服务人员则颐指气使，不叫他们为“工友”，更不是称呼为“同志”，而是直叫“茶房、茶房”。“茶房”者，是旧社会的官僚政客、洋行买办对服侍他们的人之蔑称。

国民党党风日下，政风亦如影随形，与之俱下，争权夺利，贪污腐败，变质蜕化，人心丧尽，终于气息奄奄，土崩瓦解。

蒋经国变戏法

范锡品

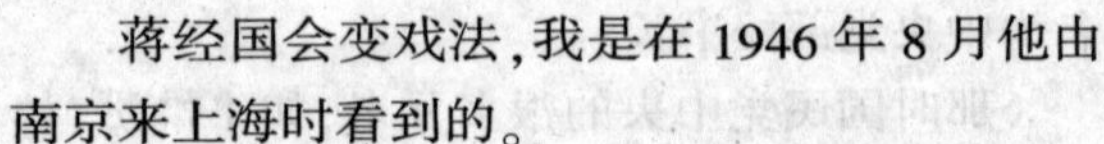

蒋经国会变戏法，我是在 1946 年 8 月他由南京来上海时看到的。

那次他来上海，是为了征求吴绍澍在所任市党部主委和三青团干事长两职之间只能择一职的意见，并带有抚慰吴绍澍的用意。吴照例为他设宴洗尘，地点在建国西路一座花园洋房吕恩潭家。这次，吴没有请上海的所谓交际花作陪，酒过三巡，吴提议每人表演一出助兴，并带头出了两道猜谜。吕恩潭清唱了《玉堂春》中的一段折子戏《苏三起解》，我那时嗓子尚好，唱了一曲《歌八百壮士》。最后轮到蒋经国，他兴致勃勃的离开席位，叫家人搬来一张方桌，放在墙边，登台表演。

他将一张废币撕碎，搓成三四个纸团，用左右两手在台面上将纸团左右往返的不断传送，动作越来越快，突然一声喝，纸团不见了，大家说纸团夹在指缝间，他手指一张开，纸团随着他的乐呵呵声掉了下来。戏法虽简单，但有人上去则屡试不成，他们没有那种基本功。大家请他再来一个。他就要来了一副扑克牌，将四、五张牌拿在右手里，展开让大家看，然后手腕那么一闪动，牌不见了，又一闪动，牌又重现在他手中，如此表演数次，没有出破绽。

有人问他哪来时间练这一套？他说："时间总是挤得出的，这是和群众缩短距离的需要。"

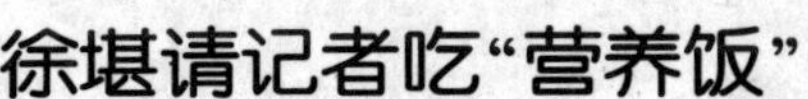

徐堪请记者吃"营养饭"

涂世勋

抗战到了第三个年头，重庆物价开始狂涨。粮油由于官方的处置不当，被奸商从中操纵，涨势尤猛，升斗小民和公教人员的日子真不好过。于是国民党政府成立了粮食部，由徐堪任部长。他提倡节约用粮，要老百姓吃他"发明"的"营养米"、"营养面粉"、"营养饼干"……等等。所谓"营养米"，其实就是多留秕糠的糙米，"营养面粉"是多留麸皮的粗粉，"营养饼干"是粗粉搀和玉米粉而制成的粗饼干。老百姓以其过于粗糙不习惯食用，于是徐堪求助于新闻界替他吹嘘营养价值。

一天，徐堪在川东师范内的粮食部宴请各报社记者吃“营养饭”。席上，鸡鸭鱼肉纷陈，到吃“营养饭”时，徐堪作了示范，在饭碗里浇上许多东坡肉浓汁，随即介绍说：“饭内加了些肉汁，喝点鸡汤，好吃得很！”一口四川话，说得眉飞色舞。大家听了，心领神会，暗笑不语。

惟有《大公报》的彭子冈，这个有名的女记者，按捺不住，开口讲话了，“徐部长，你提倡的营养饭，原来是这样的吃法，难怪营养得很！”

同行们都深知彭子冈是个心直口快、有话脱口而出的人。她的话刚说完，大家听了哈哈大笑，弄得徐堪“不堪”，哭笑不得，一面孔尴尬相。

“国民大会”中的一场闹剧

戴广德

1948年某月“国民大会”在南京开幕。会议过程中，有一天，《天文台》报发行人“国大代表”陈孝威在会上发言。他摆着一副“权威”架势登台，开口就要大家“洗耳恭听”，于是群情激愤，嘘声和“滚下来”叫嚣声震耳欲聋。有的代表甚至走上讲台，制止他发言，可是恼羞成怒的陈孝威偏偏不肯罢休，赖着不走，口对“麦克风”滔滔不绝地继续发表“高论”。台下拍案击掌，秩序大乱，根本听不清他在说什么。一片混乱中，身着戎装的陈诚走到台前，硬把陈孝威拉走，才结束了这场闹剧。

“中国活地图”杨绰庵

涂世勋

抗战期间，吴国桢任重庆市长时，第一任秘书长杨绰庵，是个名不见经传的人。但一经查讯，却是个来头不小的通天人物，是蒋介石亲下条子委任的。

杨本是江西省邮政局的小职员，后来转到武汉行辕杨永泰秘书长手下工作，成绩卓著，很受赏识，也给蒋介石留了个很好的印象。

吴国桢任重庆市长，蒋忽然想起杨绰庵，就要侍从室第三处查出杨的人事卡呈阅，随即批为市府秘书长。青云直上，连杨自己也感到意外。

杨上任后，谨小慎微，不露圭角，对新闻记者是敬鬼神而远之。有时实在无可回避了，见了记者，总是小心谨慎。对记者的提问，不是顾左右而言他，就是不作正面的具体回答，而且介绍到市府有关局、处去采访。他推诿说，他是个幕

僚,后台人物是不上台面的。

记者们在他那里一点拿不到新闻，起先对他有很大的意见。日久了,见他待人诚恳,态度和蔼，认为这个人就是这个脾气，遂不与之计较,也就不再上他的门了。

有一次,我特去访问他。那天,他兴致特别好,晤谈了一个钟头,但没有一句话涉及市府的正经事,而是谈了他个人的不平凡经历。他说,他早年进江西邮局工作,最初是当检信生,后升检信员,具体的任务是拣发信件。每天将投邮的信件收集起来,按地址分别发往全国各地。在拣信时,将每一封信,按其投递地址,迅即送进一排木架的许多方格里，然后再分装入各省市的邮袋。这项工作贵在准确,不能将寄甲地的信误投入乙地的方格里去;同时,还要迅速,随手就要将信投进去,无多考虑的余地。干这活,一干就是好多年,全国各省市县镇的名称方位,记得滚瓜烂熟,这是下了苦功夫练出来的,所以有人叫我为“中国活地图”。现在离开了本行,当起幕僚,搞“等因奉此”的工作,实在是“小材大用”、“大材小用”了。

我问他，究竟是小材大用呢，还是大材小用?

他说,两者都是。一个邮工忽然当上了陪都市政府的秘书长是小材大用；一本中国活地图改行去搞“等因奉此”的幕僚工作,是大材小用。要知道，全国像我这样熟悉全国地理的人毕竟是不多的。

临别时，他提了一个要求说，我们来个“君子协定”，今后见面彼此不谈公事。我追问他，这是为什么？他说：“猪怕肥”啊！

“救济总署”实乃救“己”总署

彭古丁

抗战胜利后，上海有“行政院善后救济总署”。其人事制度与员工经济待遇，承袭“联合国善后救济总署”的模式，机构之庞大，人员之芜杂，待遇之优厚，驾海关、邮局而上之。其中尤以“储运厅”为最。“分配厅”人员自叹望尘莫及，时有怨言。实际“分配厅”待遇也高得很。因“储运厅”以其拥有中外大批海陆空运输工具，不仅在本职运输物资中可以大捞油水，而且可以利用空运队及自己拥有的运输工具，顺手牵羊夹运紧俏和禁运物资，大发横财。利用救济之名，行救己之实。

在整个总署机构人员待遇上还可见到：

从后方来的大小官员，一时劫收不到房子的，可住高档旅馆。一家子住三、两间有的是。把外滩几个大旅馆饭店包了下来，吃住费用，公家一揽子全包。

厅处级官员及专员、顾问，多是小洋房一

幢，配给1945年最新豪华型“顺风”小轿车一或二辆，驾驶员、厨司、佣人、家庭教师、全家伙食费用，全由公家包干。其中高级官员和美籍顾问所雇厨司有中西各一，佣人男女各一，家庭教师男、女、中、英俱全。

全署员工每周可配给一听五磅克宁奶粉，骆驼牌烟一条，每人可发罗斯福布(即现在的涤卡，当时是美国新产品)五米。总之凡由联合国救济总署分配来的高档救济物资，他们是近水楼台，首先分到一份。故人称“救己总署”，他们自己也供认不讳。

汤恩伯先头部队“小劫收”

吕予韬

1945年8月日本投降后，国民党政府派汤恩伯率第三方面军接管上海。汤是浙江武义人，部队中武义人较多，另外还有一批属于大同乡的金华人、义乌人、永康人等。其中有些人颇受汤恩伯的宠信。

有一位随侍“汤司令”左右的警卫团团长是永康人，与我家带着姻亲。我妹妹与这批同乡人较熟，约我同去看他，我便去了。此人看起来比较年轻，具有军人的风度气质，还保留一点出身山乡的纯朴气息。据说，他十几岁以乡亲之谊投奔汤部,提升很快,二十来岁已当上了团长。

团长住在虹口昆山花园相近的一座小洋房里,喜欢喝酒,三杯下肚,益加健谈。当我赞赏这幢小巧精致的小洋房时，他毫不掩饰地说:“这里原是日本人住的,赶赶掉,我便住进来了。让日本人集中在一个地方,遣送他们回国。”这样的房子团长有好几处;其他同僚中,有办法的也都搞到一二幢、几幢不等。

不久,重庆、内地的人纷至沓来,手中控制了这种房子便奇货可居,每幢可“顶”三、四根“条子”(即黄金,每条重老秤十两)。这时这批军人便托人出面“顶”出房子,换进金条。

另有一些军官则找别的东西下手,所谓“各吃各的”。于是我见到了另一幕:二、三十辆日本军用卡车，一夜之间由原来的草黄色改漆成墨绿色。重赏之下,几十名司机驾着车一日之间便循京杭国道由上海驶入杭州。杭州有同乡人接应,已先找好了湘、赣、皖方面的买主,车到之日,拍板成交,银货两讫,干得干净利落。得了笔酬谢的司机,多数乘火车回上海,少数人则接受了新雇主的任务,继续驾车,再向内地奔去。

孙中山当选大总统纪实

袁希洛

辛亥武昌起义成功之后，孙中山先生从欧洲回到上海，国民党各省代表决定选举他为临时大总统。乃于辛亥年十一月初九日召开选举大会，计到会有十七省代表，我当时负责选票记录。投票唱票时，我一一记在黑板上，计孙文得十六票，黄兴得一票。盖以省为单位，每省各投一票。这时我又用毛笔在长方形毛边纸上大写："当选人孙文十六票。"于是，大家鼓掌热烈欢呼，各省代表并将我拥抱高举，一同走出会场。

“老不忘母”二三事

吴亦生

上海文史研究馆最高龄馆员一百有七岁的苏局仙老先生，于1982年百岁华诞时，馆方为他举行《苏局仙百岁大庆书画展览》。展品除苏老本人者外，同馆耄耋以上的馆员也以诗书画参展为寿。别开生面，前所未有。展出原定在苏老生日，但苏老要求避开生日提前或延后举行。他说：“先母生我时曾经难产，故过去每逢自己生日总静居家中默念老人生我之苦，未尝有庆寿活动。今虽老迈，也未便破例。”所以那次展出是提前两月举行的。

老画家颜文樑先生亦上海文史馆馆员，生前家中一直藏有苹果核数粒。常对人说：“我幼年丧母。老人在临终前给我一只苹果吃，我没吃放在橱内，数月后取出时，苹果肉已成灰屑，只剩下几粒果核了。后去法国留学、抗战逃难时都把它带在身边，现在犹可不时见到它。而每次见到便总浮现老人家弥留前一面问我话、一面拿苹果给我的情景，它是我一件珍贵的纪念品。”

我也遇到过一位白发老者，拿来一张破旧的年轻妇女的照片。我初以为这是老者的女儿或他早年所拍的夫人的照片。后始知是他母亲的遗容。他请我照此画一幅油画像。因照片的嘴部缺了一块，他抱歉地说："母亲逝世已数十年，身后只留下这张照，我一直把它挂在墙上，虽然嘴部看不全，但记得我的嘴和母亲的相似，能否照着我的嘴写生补上?"我试画后，他觉得很像，高兴之至，连连道谢，和我握手，我感动得眼眶也湿了。

唉! 老人毕生不忘母亲的故事，岂仅上述三例?

一方印认识了陈毅市长

钱君匋

上海刚刚停止了枪声，苏州河北面也随着解放了，我每天仍旧在天潼路的万叶书店工作，一切如常。一天，有一位同志送一封信到万叶书店，说陈毅市长约我明天去谈谈。我就问陈市长住在什么地方?他告诉了详细的地址，我按时根据他所说的地址前去寻找，走到福州路、江西路口朝东北的转角上，有一座"上海邮政汇业储金局。"就在它的楼上，只见陈市长一人坐在藤椅上吸烟，身后还有一张单人床。室中空空如也，这就是陈市长的办公室兼卧室。

我随着一位解放军进到陈市长的办公室，解放军指着我，向陈市长报告："钱君匋同志来了。"陈市长一转身就站起来接待，用浓重的四川口音说:“请坐,请坐。”接着互相寒暄了几句就聊起天来了。话头东南西北聊了一大套,最后他问起上海书画家的情况,并要我提供一些人名,我只提了几人,如沈尹默、王蘧常、马公愚、白蕉、吴湖帆、贺天健等,我还提到我的老师丰子恺。其时他还在重庆没有东还。看来陈市长还要约他们谈话也说不定。

为什么陈市长一到上海,不迟不早来找我谈话呢?我后来才想起,抗战初期,友人李仲融自苏北新四军中来万叶书店找我。其时已是入夏的天气,可他还穿着羊皮袍子。我问他热不热?他说:“还可以,还可以。”原来他是来要我刻印的,同时也为陈市长刻一印。记得刻的是“陈毅”两字。难怪陈市长一到上海,首先抽空找我。我这一次又随身带去两方石章,一为白文“陈毅”,一为朱文“仲弘”,石质是赭色的青田,他很高兴地看了说:“我没有研究过这门学问,可以说是外行,但觉得你刻得很不错,很有工力,谢谢了!”

杨惠敏向四行孤军献旗真相

戴广德

关于杨惠敏向四行孤军献旗史料,当年报刊所记,不尽相同。现经笔者查访,简述如下。

杨惠敏，镇江人，是一位很有胆识和爱国热情的青年。1937年她二十四岁。在原上海两江女子体育专科毕业。“九一八”后曾随同东北义勇军的女同志姚瑞芳去东北参加义勇军，后来回家。“八一三”前夕来上海参加商会童子军团。八百壮士坚守四行仓库时，她曾两次献旗。第一次是代表上海市民慰劳四行孤军，与马富雄连长取得联系，她问战士们需要什么东西？回答说要一面国旗。她回商会后就送去一面国旗。

现据当时孤军幸存人员提供：一、杨惠敏当时去四行仓库都不是由苏州河游泳过去，而是步行绕道河南路桥去的。由于租界当局怕日军追问，故推说是游泳过去，以脱干系。二、原来报导，曾说杨惠敏在日机威胁下游过苏州河，也非事实。因四行仓库和南岸租界距离不远，日机碍于国际关系还不敢在这一带肆虐。况且仓库屋顶上架有高射机枪，日机难以低飞掠近。何况她小心走去还是可到目的地的。三、仓库上悬挂的国旗不是杨送的一面，她送去的旗太小，不显眼。她去后，孤军又打电话请商会另送一面大的国旗，在10月28日当晚由商会严谔声派几名童子军，由《立报》记者陪往，把一长六尺、宽四尺的国旗和旗杆经河南路桥至北苏州路，在黑夜中用绳子拖过日军封锁线的西藏路而到四行仓库，由孤军副班长曹明忠接收。当时，谢晋元应《立报》记者题词：“吾人抱定最后决心，与倭寇周旋到底。军人着重实干，以此唤醒同胞。”

后来谢晋元夫人凌维诚对记者说:“谢晋元在日记中提及,杨惠敏曾要求进入仓库参战,但被谢绝”。

“艺高人胆大”

王子淦

砚刻高手陈端友先生，为了攀登砚刻技艺高峰,终身不娶。他认为,有了妻室必会影响自己对砚刻艺术的追求。

约在1944年夏,我曾爬上陈先生所住的阁楼,恭恭敬敬地去拜访他。这天,先生兴致甚好,他给我讲了一个“艺高人胆大”的故事,对我启发甚大。

民国初年,上海有个颇有权势的军阀,他有一方名贵石质印坯,想雕一个龙头印钮,于是命令部下要物色一位著名的雕刻印钮的艺人为他加工,据说工价甚高。

艺人秦师傅接下了这件活计以后，经过精心设计和思考,然后操刀。半月辛勤,龙头印钮雏形已显。秦师傅拿在手中正考虑进一步加工时,被家人一碰,印钮落地了,秦师傅捡起来一看,坏了,龙鼻子的隆起部分被碎掉了。秦师傅这一吓非同小可,浑身冒出了冷汗。这怎么赔得起呢?何况这位当时权势显赫的军阀是惹不起

的，弄得不好可能家破人亡。

在无可奈何之际，秦师傅冷静下来，重新端详了这方摔掉龙鼻的印钮。他打定主意将原来设计的闭嘴龙改成了张大口的龙。完工后，送到了这个军阀手里。此人看了觉得这方龙首印钮雕得与众不同，而且神采飞扬，欣喜异常，立即吩咐部下除如数付给加工费外，另赏五元大洋。

陈先生最后说，秦师傅的这场祸事被避免了，完全是他“艺高人胆大”的结果。

高渭泉与我国第一台晶玉印雕刻机

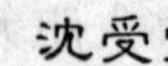
沈受觉

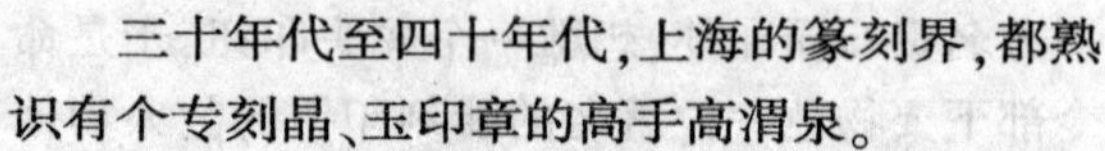
三十年代至四十年代，上海的篆刻界，都熟识有个专刻晶、玉印章的高手高渭泉。

高渭泉，江苏常熟人，早年与底奇峰两人一起以瓷器凿字刻画为业。数年后，底参加了革命军，于马背上摔死。不久，高也结束了刻瓷生涯。

高渭泉凭借他那扎实的刻瓷技艺和对各种书体有一定知识的基础，改操凿刻水晶、玛瑙、翡翠、玉等印章为生。作品一问世，备受欢迎。一时门庭若市，求刻者络绎不绝。过去晶、玉类印章镌字，多由琢玉器工人为之，字迹呆板、粗俗。

当时上海诸篆刻家，十之八九不擅凿刻晶、玉印之术。如王福庵、赵叔孺、陈巨来、朱百行等著名篆刻家，凡遇晶玉印章，皆由高渭泉捉刀，视高氏为他们的得力助手。宣和印社曾发行《介堪手刻晶玉印存》，其实方介堪仅篆印稿，凿刻成印也出自高氏之手。

由于高渭泉凿刻技艺高超，刻件日益增多。虽广招艺徒，也帮不上多大的忙。印章越积越多，正一筹莫展之际，得悉虹口有日本人开设的藤村印房，从日本引进一台晶玉印雕刻机。高与该印房主人素有印务往来，交谊很深。经商谈，同意派其子高博云赴藤村印房学习机刻晶玉印技术。没多久，日本人嫌雕刻机嘈声高，灰砂多，就把机器转让给高渭泉。

机刻的晶玉印，不论是朱文或白文，深度都超过手刻的几倍，速度也加快好几倍。明显不足的是笔画板滞，不够流畅。高渭泉以其凿刻技能，把机刻的印文，进行再加工，这才相得益彰，完美无缺了。

高渭泉得了晶玉印雕刻机，如虎添翼，满足了众多求刻者的要求，解决了长年积压的刻件。更为难能可贵的是，高为使此刻字法能迅速推广全国，还为复制此机作出了贡献。

坐牢"吃"教

孙诗圃

"四一二"反革命政变后，许多政治犯被国民党政府关押在漕河泾监狱。当时国民党还没有在狱中宣传"党化教育"，仅仅有教诲师来监内宣讲教义。这样，上海佛教会和天主教得以轮流来狱中宣传各自的教义。佛教是劝人为善，讲因果轮回，求来生得善报，"犯人"是没有资格去登西方极乐世界的。天主教则劝人改恶从善，早登天堂。佛教会来狱中向我们"犯人"讲《心经》、《金刚经》、《妙法莲华经》等，讲者有著名的印光、谛闲、静权等法师。我们政治犯分禁各监舍，趁听讲经的机会，可以大家见到面。

佛教会来宣扬佛教时，对当时关押的数百政治犯人，及三千余刑事犯，每人加三角油豆腐二只再加黄豆芽，或者海带每人一份。天主教跟着竞争，给信仰天主教的犯人也每月每人增发红烧牛肉一大块(或两小块)。犯人为多吃到一份伙食，就变成既是佛教徒(极少数人皈依三宝)，又都是天主教徒了。我在牢中既"吃"佛教，又"吃"天主教，也是为多吃些营养、维持生命，以便于出狱后更好革命。

“波罗”、“揭蒂”命名的由来

孙诗圃

第二次革命战争时期，上海白色恐怖严重，共产党照样在上海从事秘密工作。上海煤炭业职工罗希三同志，在“四一二”政变后离开煤业岗位，隐蔽下来。先在英租界三、四马路一带开办了一家西药房，取名“波罗药房”，后又在英租界牛庄路上某号门牌的二楼开设一家小型医院，取命“揭蒂医院”，都是共产党中央的秘密联络场所。当时我觉得这药房和医院的命名不大通俗，和市场上的不同。就询问罗君，他笑嘻嘻的对我说：《心经》的末一句是“摩诃般若波罗揭蒂”。我采用“波罗”、“揭蒂”作为药房和医院的名称，是革命乐观主义，用以说明国民党的“攘外必先安内”不得人心、快要完蛋了。后闻抗日战争时期，罗希三同志牺牲于浙江天目山。

随先兄叶公超在昆明

叶崇德

1939年8月，我在上海接先兄叶公超昆明函召,经河内去昆明。我们在昆明租定的住房在西南联大后门旁,大门对着胜因寺后殿,系云南大军阀金汉鼎父母的坟园。院子很大,坟墓即葬在院中。一进大门,左右各有一排房屋。左手一大间长方形,约三四十平方米,原为落葬前停棺使用，后边连着一间厨房。右间约有二十平方米,连着一小间守坟人住房及一间厕所。公超夫妇带着一儿一女住在大间，两头以肥皂木箱叠起制成衣柜，当中以一根长竹竿衔接，作挂衣用。前后加上布帘,旁边留一个进出口,即将一大间房隔成前书房兼会客,后半间作卧室。门洞对面一小间给我住,靠墙给我安了一张床,房当中放张圆桌吃饭。我记得初到昆明,吴宓教授和一位联大历史教授在我们家搭伙，每日中晚餐围坐一桌,饭后谈笑风生,十分热闹。

约1939年底，公超被先叔叶恭绰电召去港,二位教授即终止了在我家搭伙。第二年嫂嫂带了一双儿女被先叔派人接去香港，因公超为先叔在沪办讼事而被日宪兵队逮捕坐牢，无法再回西南联大执教，造成他后来只能走弃学从

政的路。他们一家走后,我即迁入了他们住的一大间,一人流落在昆明。后来张奚若教授一家租赁了金汉鼎原来放他家祖先牌位的后园内一大间,和我家共用一个厨房,做了一年多邻居。

有一次表兄杨石先(那时他是联大化学系主任)来探望我。谈及联大北方来的教授,不少人因常年吃不到面粉而患两腿浮肿病。我听后一直将此事放在心中。有一天我逃警报,躲在一条壕沟中,遇到一位广东同乡,交谈下得知他是昆明面粉厂的厂长。我与他谈及联大教授因吃不到面食而患浮肿的情况。出于热情,他答应愿按成本卖给联大四百袋白面,二百袋粗面。回忆当时白面仅收四元一袋(四十市斤),黑面比白面每袋多一倍,也只收四元。但因面粉厂在昆明远郊,要靠木船由小河运至联大附近卸货,厂方要求运费及搬运劳力由学校负担。因机会实在难得,我立即要了厂址及接头人姓名,并告知我愿承担木船运费,搬运劳力由学校组织。事隔四十余年,当时那位热心的厂长姓名我已回忆不起了。他比我略长数岁,现在是否仍在世间,也无法查询了。

后来西南联大决定请杨石先教授代表校方出面,借金汉鼎坟园举行了一次对面粉厂的答谢茶话会,双方对这次合作都很满意。此事知情人现在多已作古。杨石先教授回天津后任南开大学校长,亦已于 1985 年 2 月 19 日在津逝世。吴宓、张奚若二教授亦先后离开人间,其他尚存者已不知分散在何处。追记此事,以见抗战大后方西南联大办学之艰辛与教职员工生活之坚韧。

华人首创之中国殡仪馆

陶乃纫

在六十年前上海居民家中如遇不幸死亡事故,其举丧殡殓等事,都在各自家中举办。种种迷信活动,如和尚道士,吹打念经,通宵达旦,吵闹万分,导致方圆几十户日夜不得安宁。

上海那时只有公共租界胶州路上有一犹太人所办之万国殡仪馆。该馆最初只办外籍人丧事,中国人一概拒绝。虽个别富有者出高价得进该馆治丧,但馆方规定:1.不许丧事家属哭叫;2.不许和尚道士进馆做佛事;3.不许焚化锡箔元宝等。

三十年代初,陶家瑶辞官来沪办纱厂,正值他堂弟去世,在万国殡仪馆办丧事,遭到洋老板种种干涉与刁难。于是他决心为上海丧家解决困难,乃筹集资金办一专为中国人办丧事之用的中国殡仪馆。

中国殡仪馆馆址择在前海格路(今华山路),该地是当时上海高级华人住宅区。开业后引起该地区居民不满,而群起攻之,诉讼达数年之久。但是为了社会需要,最后讼事不了了之,中国殡仪馆得以顺利为丧家服务。

数年后中国殡仪馆又在南京、杭州等地开设分馆。陶家瑶之四子陶镜环在南京报界工作之便,乃兼营南京分馆事宜。馆址择在中正路八条巷口,不料在开业前遭到南京市政府干涉,主要是在“中正路”上开殡仪馆,乃不祥之兆。于是纠纷又起。但建馆已投入大笔资金,如易地开业,损失太大。所幸得有力者支持,协力相助。协商结果,把大门开在该馆侧面的八条巷上,将中正路上大门用砖头砌成高墙。市政当局认为如此则晦气从侧面八条巷出去,不破坏中正路上风水。于是中国殡仪馆南京分馆也得顺利开业。

别开生面的结婚请柬

翁泽永

抗日战争时期,郭沫若任政治部第三厅厅长,团结了很多著名进步文化界人士,从事抗日宣传工作,为国民党所忌。1939年秋三厅被迫改组,绝大部分三厅人员随郭老集体辞职。慑于国内外舆论,蒋介石下令另组文化工作委员会。在一个单位已结束、另一个单位尚未建立之际,徐步和方黎准备结婚(徐当年为三厅一科中校科员,抗敌宣传四队指导员,建国后曾任南京市长、西安市长,“文革”中含冤逝世;方当年为抗敌宣传四队队员,“文革”后任南京市委组织部长兼南京市府人事局长,现已离休),请郭沫若为证婚人,地点即在重庆郊区赖家桥全家院子文工会会址。潘念之和我分别为男女两方的代理主婚人。大家想趁此放松一下精神,给新郎新娘开了不少玩笑,最突出的是潘念之一首充作请柬用的打油诗:

咱们俩是一条心,闪击恋爱已完成。
一见倾心长安市,私订终身重庆城。
襄礼有劳人人到,吃酒何须一一请。
精诚团结大欢喜,咱们俩是一条心!

下面是结婚时间地点和新郎新娘姓名。

诗中“咱们俩是一条心”,是当年一首民歌,徐步爱唱。“闪击”是当年一个时髦词;抗宣四队从武汉到西安,徐步、方黎开始认识。

这张别开生面的油印粉红色请柬,分发寄到不少文化界朋友手里。一个好事的记者写了条花边新闻,在当年重庆《新民晚报》登了出来,给沈老(钧儒)看到了,沈老颇不以为然,把徐步叫去训了一顿:“婚姻大事也能这样开玩笑的吗?”使徐步有点尴尬。

参加这次婚礼和闹新房的文化人有洪深、石凌鹤、李可染、高龙生、力杨、叶籁士、蔡仪、蔡馥生、冯乃超、刘仁、绿川英子等数十人,笔者也躬逢其盛。

上海最昂贵的地价

邓汉宗

1932年，上海公共租界董事哈同病故，即由工部局道契间进行地价核实，由此出现了南京路地产价最昂贵的局面：西藏路以东最贵地价为每亩四十万白银。因而哈同留下的遗产达八千万两白银，折合银元一亿一千二百万元。欧司爱·哈同才成为中国境内第一个亿万富翁。

大新公司筹备人蔡昌要在南京路上先施、永安、新新三大公司附近购买一块地皮，供建造新大楼之需，而以每亩二十三万两白银，购得南京路亿鑫里九亩地，合计价款二百零七万两白银，折合银元二百八十九万八千元。

旧上海房屋租赁概况

章庆澜

1937年“八一三”淞沪抗战发生时，上海人口不过三百万。当时里弄空屋较多，租赁尚便。也有收取“顶费”的，那是补偿前租户装修的代价。后来长江流域各地区相继沦陷,来沪避难的络绎不绝,房屋供不应求。业主出租房屋,需收巨额顶费、过户费和小租等等。前租户出让房屋,后租户也要出顶费,同时向业主或经租人付过户费和小租。1948 年前后顶费市价,凡新式里弄及花园房屋,单开间的约需黄金百两,双开间的加倍;石库门房屋减半。过户费和小租,约需顶费的十分之一。这是整幢房屋的出顶价。部分出租的多系旧式房屋,租一客堂或一厢房,约需顶费黄金十两至二十两不等。1946 年国民党政府曾公布《上海市房屋租赁管理规则》,禁止收取顶费等等,但无实效。

旧上海代理业主管理房地产的业务,有所谓"经租账房"的,和通常的房地产代管人不同。通常的房地产代管人订立租约、收取租金及因房地产纠纷而涉讼等等,都用业主的名义。但经租账房是独立行使职权,租户与有关各方不知业主是谁,这是旧上海房地产管理中的特有形式。

经营房地产经租业务的不少是外商组织或律师事务所。委托外商为经租账房能对中国租户施加压力,如果要求不遂,往往直接用关闭房屋,断绝水电等强制手段,不必诉诸法院请求处理。何况外商组织还可依靠领事裁判权的庇护。这种情况直到租界收回以后才改变。

清末苏州民间生活一斑

蒋仲茀

教师在光绪十五年至二十五年(1889—1899)间一般开门授徒的，每一学生每节(一年分春节、端午、中秋三节)送束脩一元。受人聘请的“西席”，每月束脩自一元起至五元不等，膳宿由馆东供给。当时人们或讥教师为“猢狲王”。教师每月为学生改文三次，年得束脩十元。西席待遇较好的，每年开馆时有聘金，逢节有节敬。

女子以刺绣维持生活的，除湘绣外，苏州以“顾绣”著名。刺绣工资以件计，每一件(蝴蝶、孔雀每一只为一件)工价，小件制钱七文，大件二十余文，从当时货币兑换率及生活费用来说，大致银币一元可兑制钱一千文，米每石二元余，稻柴每担(百斤)约售制钱九十文，猪肉每斤约八十文。

以肩舆为业的，俗称轿夫。当时尚无车辆代步，妇女和医生以及富裕家，都坐肩舆。轿夫每名每日自上午八时起伺候至下午四时许，得班钱制钱七十文，伙食自理。如坐肩舆往人家贺喜，轿夫可得轿封两个，每个制钱十二文至十六文不等。医生出诊，病家所给轿封，往往先上交医生，月终再分配。

房租在光绪二十五年(1899)前,每间月租普通自三、五百文起至一元左右,三开间几进的大房子也不到二十元,但大都是破旧不堪的。

至于伙食,俗称"初二、十六,当荤吃肉","一年三百六十日,二十四荤、三大醉、六百九顿罗卜干",还都是当时中等以上工商界的生活。只有盐商、木客是例外,他们几乎每餐成席,奢侈等于公侯。

上海私人住宅中之自动电梯

周退密

上海私人住宅装设自动电梯者,在四十年代前,实未有所闻。有之当首推1936年春落成的青海路44号周湘云之住宅。继之者则为北京西路之吴同文住宅,吴宅落成仅稍后于周。吴为旅沪巨商苏州人贝润生之女婿,新居与其岳父住宅密迩,但不闻贝宅亦有电梯。

甪直覆舟惨祸

汪葆楫

1932年11月13日,甪直保圣寺唐塑罗汉,经整理后重新开放,举行揭幕典礼。当时政府要员及各界人士从苏州乘轮船前往,原定三船,后加一船,船各有引擎,可以单独开行。中途三船互系成长蛇,一船先行。行至车坊吴淞江,三轮船中第一轮加快马力,末一轮则特别慢车,致使夹在中间之沅兴轮失去自动能力,前后成拔河之势。沅兴轮遽向右倾,迨水进舱,而前船依然疾驶,后船依然缓行。职是之故,沅兴轮由倾侧而覆没矣!当时死朱梁任父子及傅子文共三人。朱梁任六十岁,武举朱永璜子,性狷介,不事生产,工诗词,精研金石书画,世擅技击,嗜饮,斗酒不醉,生平不衣锦,不坐人力车。袁世凯称帝,朱素衣觐袁,反对复辟。金松岑把他列入《奇人传》。方抢救之时,岸上有人大呼:"此人死不得!"其子世隆,与我曾在高小同学,因救乃父,力竭同没。年三十,江苏水陆警校毕业,任军职。另一人为我同门傅子文,年三十二,小学教员,眇一目,因以致祸。老母、寡嫂、孤侄依以为命,厥情尤惨!

中国第一个出国比赛的女篮

戴广德

1931年4月，上海两江女子体育师范学校校长陆礼华，率领中国第一个出国比赛的女子篮球队——两江篮球队远征日本，抵达长崎，应邀同县立女子师范篮球队作友谊比赛。两江队员心目中以为外国姐妹一定很开通，出乎意料，上场后，这些日本姑娘一个个拖着长辫子，或盘着巴巴头，身穿长长的灯笼裤，一直盖到膝下连着长统白袜，气喘吁吁地在场上奔跑。两江队员一律短发、短裤、短袜，两队队员形象形成鲜明对照。比赛结束，两江队以19比9成绩，首战告捷，扬名远东体坛。

翟连源在柏林奥运会踢花毽

刘刈

踢花毽在上海地区，颇有群众基础。每逢节假日，以及市郊农闲时节，常举行花毽比赛和表演，尤其是中、小学课外活动中踢毽子更为普遍。1935年旧中国第六届全国运动会在上海江湾体育场举行，曾设有花毽比赛一项。南京代表邱启兴获男子组第一名，女子组第一名为浙江省代表程月珍获得。

三十年代上海市私立两江女子体育师范学校的课外体育活动中，踢毽子也甚为活跃。当时有位学生翟涟源，除了爱好武术，挥刀舞剑外，更擅长踢花毽，花毽技艺可为她的一绝。

1936年7月第十一届奥运会在德国柏林举行。我国体育团出师受挫，各个项目比赛屡屡败北，只有一名吉林省籍运动员符保卢撑竿跳高在预赛中以4.10米的成绩达到及格标准，其余项目均在预赛中被淘汰，可说一败涂地。国内舆论哗然，国际上耻笑之声四起。然而，中国代表团内国术表演队的剑术、拳术、踢毽子等项的精彩表演，却曾先后在德国柏林、法兰克福等地引起轰动。

出席第十一届奥运会的中国国术表演队有郑怀贤、温敬铭、金石生、张尔鼎、寇运兴、张文广、翟涟源(女)、傅淑云(女)、刘玉华(女)等人。尤其是翟涟源的踢毽子表演，更是技惊四座。

翟涟源，江苏泰兴人，自幼爱好武术。在“两江”读书时，每天练武近五小时。为充分利用时间，她把头发修剪得很短，近似男青年。十六岁被选入南京中央国术馆，学习武术，后考入上海两江女子体育师范学校，在武术教师郑怀贤的指导下，她苦练枪、刀、剑、拳术，并经常同老师郑怀贤结成对打上下手套路，参加全国比赛或

表演,武艺提高很快。这次被选为中国奥运会代表团国术队员，决心一显身手，为中华民族争光。果然她的踢毽技艺轰动了奥运会,并获得表演奖牌。

1936 年 7 月 15 日,中国国术表演队应柏林市城防司令官李切尔中将邀请，前往柏林市郊“格那诺尔”国防军军营表演中国国术。翟涟源上场表演了她的花毽技艺,踢出了“苏秦背剑”、“二龙吐珠”、“鹞子翻身”等二十多种花样,身手矫健,轻盈多姿。一枝小花毽在她身体的上、下、左、右、前、后飞舞,总是形影不离,不掉落地,博得全场观众掌声雷动，特别是几千名身穿橄榄色军服的德国官兵更是看得眼花缭乱，赞叹不绝。当时奥运会执行主席李哈博士称赞翟涟源的花式毽子是:“神奇得令人难以置信的高超运动技艺。”

新中国成立后，翟涟源长期在河南省开封师范学校担任体育老师,十年动乱中历尽坎坷,数年前退休,今已逝世。

老秀才当街烘糕饼

秦瘦鸥

我是十四岁离开故乡嘉定县的。以今天新潮时期上海这一带来说，十四岁的少年懂的事已经很多了，有不少甚至已会帮着父母摆水果摊、饮食摊……当上了个体户。可在六七十年前，我却是糊里糊涂，似痴似呆，像头小牛犊一样。自然也有一些幼年特别爱做的事，例如上城隍庙去看草台班唱的京戏，租一条小船沿着清澈如镜的外城河画上一圈，还有追随着从小在一起的好朋友张长昌，到大街上去看他外祖父王秉仲先生腰里束起围裙，当街烘制各种糕饼，自然还包括伸手抓几个塞进嘴里去。

王秉仲学名德彝，生于 1867 年，曾应过科举考试，得中本县第一名秀才。他一生淡于功名，后来既没有再去考举人，也没有在清朝或民国政府时代当过什么官吏。他自己家里原来并不富裕，但初婚和续弦时娶的都是富家之女。据说第一位夫人从南翔镇嫁到嘉定县，嫁妆竟得用三四条大木船才够装载。这样就使他家的经济情况一下跳了几级台阶，使他有条件做了不少只花钱、没收入的风流雅事。他先在宅后空地上开辟了一大片菊圃，遍植名种，每年花开季节，往往大摆筵席，邀约亲友前去赏菊，饮酒、赋诗。他还喜爱喂养鸽子，搭起一层层的鸽棚，蓄鸽近百羽。他自己又浑身都是音乐细胞，吹吹打打，无一不能；弹的一手琵琶更是压倒全城。

至于他怎么又会出手做起糕饼来呢？说穿了无非也是为了满足口腹之欲。在当年的嘉定，能买到的精美点心很少，他想吃就只能干脆自己开店。最初的一间店是开在他家靠街的一排空屋里，招牌名曰大和茶食店。后又增设北店，

开在本城闹市中心的州桥附近。在他亲自设计监制之下,食品的质量当然很高,可是售价也就超过一般同行了。何况嘉定人口无多,城内的居民不过三四千人,他的老顾客能有多少呢?后来又屡次遇到天灾人祸,生意越来越差,到二十年代中叶,二处的店不得不先后倒闭。可王老先生兴犹未尽,好在烘制糕饼的工具尚在,于是他不招雇工,爽快独自动手制作,品类依然不少,有鲜肉饺、云片糕、酒酿饼、杏仁酥、桔红糕等。可能由于我当时年龄幼小,要求不高,无法品味优劣,以至整天围着他家门前的炉子转,吃一样赞一样,只道天下的美食精英已尽于此矣。

他在大街上设摊做买卖,不用说是违反交通规则的,因此曾遭受警察的干涉,连操作用的桌子也被踹翻。但王老先生把做好的糕饼给警察一吃,他们也不由不赞美起来,从此闭上一只眼,只当没看见了。

王老先生卒于 1946 年夏,年七十九岁。

后记

本册《沪滨掠影》是继《海上春秋》后的、由上海市文史研究馆供稿的姊妹篇。两书内容上有“大同”:即题材以立足上海为主,适当吸收一些上海以外的篇章;记述以作者亲历、亲见、亲闻为主,也适当采撷一些第二、第三手资料;史料时限以清末民初至1949年全国解放,个别适当前伸后延。也有“小异”,即内容各有侧重:如本册《书刊旧闻》谈书籍出版,前册《报刊旧闻》则议报章杂志;本册《画坛风流》专谈绘画,前册《书艺记趣》则讲的是书法;本册《银幕史话》讲电影,前册《舞台沧桑》则主要介绍戏剧;本册《文教史迹》重点写书店与图书馆,前册则重点写学校创建;本册《革命轶史》、《解放前夕》和前册《政海波涛》虽记述都是政治掌故,但如栏目所示,内容也各有侧重。至于《文物鉴赏》、《寻古揽胜》等,则为前册所无。

为保证笔记史料的正确性，我们尽力对史料作了核实、订正的工作；另外，也努力照顾到笔记的趣味性、可读性。但肯定仍有不足和疏误之处，敬请读者审定！

本册编辑委员会编委（以姓氏笔画为序）：王国忠、华道一、沈北宗、周退密、姜豪、胡嘉、祝文光、赵而昌、梁立言、戴广德。编辑办公室同志叶广成、邝佩连、沈飞德、徐建恒等也参加工作，不辞辛劳。

编辑过程中，承中央文史研究馆馆员、特约编审刘北汜、蒋路二位审阅全稿，并提出了宝贵意见，谨此志谢。

编　者